Querido leitor(a).
Desejo, sinceramente, que este livro lhe traga muita paz, conhecimento, felicidade, equilíbrio e amor.

A BATALHA DOS ILUMINADOS

OSMAR BARBOSA

Pelo Espírito Daniel

A BATALHA DOS ILUMINADOS

Book Espírita Editora
2ª Edição
| Rio de Janeiro | 2017 |

OSMAR BARBOSA

Pelo Espírito Daniel

*Outros livros psicografados
por Osmar Barbosa*

~

Cinco Dias no Umbral

Gitano – As Vidas do Cigano Rodrigo

O Guardião da Luz

Orai & Vigiai

Colônia Espiritual Amor & Caridade

Ondas da Vida

Joana D'Arc – O Amor Venceu

Antes que a Morte nos Separe

Além do Ser – A História de um Suicida

500 Almas

Eu Sou Exu

Cinco Dias no Umbral – O Resgate

Entre Nossas Vidas

O Amanhã nos Pertence

O Lado Azul da Vida

Mãe, voltei!

Agradecimento

Agradeço primeiramente a Deus por ter me concedido esse dom, esse verdadeiro privilégio, de servir humildemente como um mero instrumento dos planos superiores.

Agradeço a Jesus Cristo, espírito modelo, por guiar, conduzir e inspirar meus passos nessa desafiadora jornada terrena.

Agradeço a Daniel a oportunidade e por permitir que essas humildes palavras, registradas neste livro, ajudem às pessoas a refletirem sobre suas atitudes, evoluindo.

Agradeço ainda a minha família, pela cumplicidade, compreensão e dedicação. Sem vocês ao meu lado, me dando todo tipo de suporte, nada disso seria possível.

Agradeço a todos da Fraternidade Espírita Amor & Caridade a parceria nesta nobre e importante missão que, juntos, desempenhamos todos os dias com tanta devoção.

E agradeço a você, leitor, que comprou este livro e com sua colaboração nos ajudará a conseguir levar a Doutrina Espírita, e todos os seus benefícios e ensinamentos, para mais e mais pessoas.

Obrigado.

A todos, os meus mais sinceros agradecimentos.

BOOK ESPÍRITA EDITORA

ISBN: 978-85-69168-07-2

Capa
Marco Mancen | www.marcomancen.com

Projeto Gráfico e Diagramação
Marco Mancen Design Studio / Andressa Andrade

Ilustrações do Miolo
Manoela Costa

Revisão
Josias A. de Andrade

Marketing e Comercial
Michelle Santos

Pedidos de Livros e Contato Editorial
comercial@bookespirita.com.br

Copyright © 2017 by
BOOK ESPÍRITA EDITORA
Região Oceânica, Niterói, Rio de Janeiro.

2ª edição
Prefixo Editorial: 69168
Impresso no Brasil

Todos os direitos reservados e protegidos pela Lei 9.610, de 19/02/1998. Nenhuma parte deste livro pode ser reproduzida ou transmitida por quaisquer formas ou meios eletrônicos ou mecânicos, incluindo fotocópia, gravação, digitação, entre outros, sem permissão expressa, por escrito, dos editores.

Conheça um pouco mais de Osmar Barbosa
www.osmarbarbosa.com.br

*"A missão do médium é o livro.
O livro é chuva que fertiliza lavouras imensas, alcançando milhões de almas."*

Emmanuel

"Bem-Aventurados os Mansos, porque eles possuirão a Terra"

Mateus: 5 v.5.

Sumário

OS EXILADOS DE CAPELA..19

INTRODUÇÃO..25

COLÔNIA ESPIRITUAL AMOR & CARIDADE......................35

O GRANDE DIA...51

O ÚLTIMO SERMÃO..63

A OPORTUNIDADE...73

A MISSÃO..87

SOBRE A TERRA..99

O UMBRAL...117

A PRIMEIRA MISSÃO..129

AS IGREJAS..141

A PORTA DO INFERNO..155

O LIMITE..169

DROGADOS..177

A CASA ESPÍRITA...187

A COLHEITA..197

"Quando fomos exilados na Terra, nós, os capelinos, peregrinamos no duro resgate de sofrimento e lágrimas. Apesar do esquecimento temporário aplicado à nossa necessidade de ajuste, em momentos de reflexão buscamos nos esconderijos da memória etérea, lembranças fragmentadas de que já havíamos vivido em um paraíso e fomos expulsos de lá pela rebeldia contra as Leis Divinas. O mesmo acontece em nosso planeta, nesta grande transição planetária em andamento. Estamos diante da seleção de quem deve continuar e de quem migrará para outros planetas, de acordo com o próprio merecimento."

Osmar Barbosa

OS EXILADOS DE CAPELA

No livro *A Caminho da Luz*, psicografia de Francisco Cândido Xavier, Emmanuel informa que há cerca de 10 mil anos um planeta do sistema de Capela, situado na Constelação de Cocheiro, passava por decisivas reformas, consolidando importantes conquistas morais.

Diríamos que se efetuava ali a transição anunciada para o próximo milênio na Terra: de "Mundos de Expiações e Provas", onde consciências despertas trabalham incessantemente em favor da própria renovação.

No entanto, uma minoria agressiva, recalcitrante no mal, barulhenta na defesa de suas ambições, ainda que requintada intelectualmente, retardava a esperada promoção.

Decidiram, então, os gênios tutelares que governam aquele orbe, confiná-los em um planeta primitivo, onde estariam submetidos a limitações e dificuldades que atuariam como elementos desbastadores de sua rebeldia.

A escolha recaiu sobre a Terra, cujos habitantes praticamente engatinhavam nos domínios do raciocínio, e que de pronto beneficiaram-se com a encarnação dos capelinos. Inteligentes, dotados de iniciativa e capacidade de organização, dispararam um notável surto de progresso.

No curto espaço de alguns séculos a humanidade aprendeu a cultivar a terra, concentrando-se em cidades, aprimorou a escrita, inventou os utensílios de metal, domesticou os animais...

A presença dos capelinos explica o espantoso "salto evolutivo" que ocorreu naquele período, chamado neolítico, que ainda hoje inspira perplexidade aos antropólogos.

Concentrando-se em grupos distintos, explica Emmanuel, eles formaram quatro grandes culturas: egípcia, hindu, israelense e europeia, que se destacaram por extraordinárias realizações.

É interessante salientar que nos princípios religiosos desses povos há referência à sua condição de degredados, particularmente nas tradições bíblicas do paraíso perdido.

Depurados após milênios de duras experiências, os capelinos regressaram ao planeta de origem. Com a nova migração, as civilizações que edificaram perderam consistência, sucedidas por culturas menores, filhas do homem terrestre. Informações da espiritualidade nos dão conta de que estamos às vésperas de dois surtos migratórios em nosso planeta.

O primeiro, marcado pela encarnação de espíritos altamente evoluídos – crianças cristal –, que pontificarão em todos os campos do conhecimento, num grandioso renascimento moral e espiritual da humanidade. Virão de esferas mais altas, preparando a promoção da Terra para Mundo de Regeneração.

O segundo será constituído por milhões de espíritos acomodados, comprometidos com o mal, que se recusam sistematicamente ao esforço por ajustarem-se às Leis Divinas, semelhante à minoria barulhenta de

Capela. Confinados em mundos primitivos, também aprenderão, à custa de muitas lágrimas, a respeitar os valores da vida, superando seus impulsos inferiores.

Teremos, então, a decantada Civilização do Terceiro Milênio, edificada sob inspiração dos princípios redentores de Cristo, nosso governador espiritual.

O espiritismo diz que a Terra não é o único planeta em que existe vida. Sabemos que existem outros planetas. Alguns já podemos ver, mas existem outros que ainda não são visíveis aos humanos por estarem em outras frequências (ou dimensões). O planeta Terra é habitado por espíritos que estão em processo evolutivo, enquanto em outros planetas habitados, nossos irmãos estão em outros estágios de evolução. Ou seja, em grau evolutivo diferente do nosso.

De acordo com o que nos foi informado por diversos espíritos, entre eles Emmanuel, que se comunicava com Chico Xavier, o que conhecemos como fim do mundo na verdade é uma transição que ocorrerá em nosso planeta. Atualmente, a Terra é considerada um planeta de provas e expiações, onde os espíritos encarnados vivem suas experiências pessoais no intuito de se aperfeiçoarem e se redimirem do mal. Sendo assim, o fim do mundo é, na verdade, a transformação de nosso planeta em um planeta modificado ao qual chamaremos de planeta na era da regeneração.

Segundo o espírito Emmanuel, por intermédio da mediunidade de Francisco Cândido Xavier, nós já estamos na transição, ou seja, já estamos vivendo o apocalipse anunciado pelo nosso querido e amado irmão Jesus.

Para que esse estágio de mudança de energia – passar das provas e expiação para a regeneração – se concretize, é necessária uma limpeza espiritual em nosso planeta. É por isso que estamos vendo um surto de violência tão grande: mães matando filhos, pessoas sendo assassinadas por motivos fúteis etc. Vemos também a destruição desenfreada de nossas matas, oceanos e rios. Além das riquezas minerais e sociais.

Espíritos de baixa evolução estão reencarnando para ter uma última chance de evoluir e passar para a luz. Já estão triunfando com a chegada, cada dia em maior número, das crianças tipo cristal, que serão os precursores da nova geração, da transformação, enfim, do planeta de regeneração.

Sendo assim, todos nós somos os promotores dessa mudança energética da Terra. Faça o bem, pense o bem e transmita o bem. Cada um de nós precisa agir como um diapasão, propagando a energia positiva em nosso planeta.

O fim do mundo nada mais é que a realocação dos espíritos menos evoluídos para outros planos, e a herança da Terra pelos espíritos mais evoluídos. E você, está de qual lado da balança?

A "senha" que nos habilitará a permanecer na Terra nesse futuro promissor está definida na terceira promessa do "Sermão da Montanha":

"Bem-aventurados os mansos e pacíficos, porque herdarão a Terra."

Mateus 5:5

"Deus nos concede, a cada dia, uma página de vida nova no livro do tempo. Aquilo que colocarmos nela, corre por nossa conta."

Chico Xavier

INTRODUÇÃO

Somos todos perfeitos, quando precisamos de alguma coisa de Deus. Chegamos até a curvar nosso corpo em reverência a uma imagem colocada à nossa frente. Acreditamos fielmente que aquele símbolo exala santidade. E que estamos realmente conectados a Deus.

Nos colocamos ali, sensibilizados e em profunda meditação, pois entendemos que quando incorporamos essa postura, supostamente cristã, nos aproximamos do criador, achamos mesmo que isso compartilha as almas do criador e criatura.

Durante nossos festejos e comemorações, dificilmente nos colocamos em comunhão com o bem. Na maioria das vezes colocamos uma estátua feita de pedra, madeira ou gesso para representar nossa fé diante daquilo tudo que conquistamos; assim, externamos para aqueles que ficam curiosos a nossa religião, nossa crendice ou nossa fé. Isso, sinceramente, nos torna os seres mais repugnantes da criação.

Imaginarmos que uma imagem representa algo santificado pode ser uma tolice. Alguns dirão que isso não importa, o que importa é o que sentimos e representamos para Deus.

É costume nosso achar que Deus é um ser que está à nossa disposição a qualquer momento que precisarmos. Se alcançamos alguma vitória, seja espiritual ou até mesmo material, foi Deus que nos deu; se algo de ruim acontece conosco, foi Ele quem nos castigou; e até achamos que Ele foi, ou é, muito injusto. "Eu não merecia esse castigo."

Quanta bobagem, quanta tolice! Sinceramente, acharmos que Deus é um ser que está sentado sobre um trono, em cima das nuvens, olhando para baixo presenteando alguns e punindo outros é, sem sombra de dúvida, outra tolice, uma falta de imaginação.

Você vai me perguntar: quem é Deus? Vou lhe responder que Deus é uma coisa, algo ou um ser que minha mente infelizmente ainda não é capaz de compreender, afinal só uso 7% de minha massa cefálica. E isso é muito pouco para compreender as coisas de Deus.

Os espíritos, mentores espirituais ou anjos da guarda – chame como quiser – nos dizem que no dia em que a humanidade usar 30% do cérebro – e nós vamos usar, segundo esses mesmos espíritos – conseguiremos nos comunicar telepaticamente. Fico pensando nas companhias de telefone e internet. E-mails não serão mais necessários, pois as mensagens serão trocadas telepaticamente. Imaginem a que ponto chegaremos. E isso é real, segundo os espíritos.

Deus é algo, alguma coisa ou algum ser inimaginável. Particularmente, acredito que Ele seja, e é, uma força atrativa. Tudo o que converge para o bem é atraído por Ele; aqueles que não convergem para o bem são atraídos para se modificarem e se transformarem em coisas boas, em seres bons, em atitudes boas, em pensamentos bons, enfim, tudo o que remete à bondade.

Essa é a minha opinião do que é Deus.

Como me aproximo de Deus? Simples, acredite no amor, faça o amor acontecer. Transforme-se em uma pessoa do bem, ame, sem preconceitos, sem questionamentos e sem julgar. Nossa como isso é difícil! – você vai dizer. Mas as coisas de Deus são difíceis mesmo.

Se fossem fáceis, todos já estariam convertidos a Ele. Daí você vai me dizer: se existe mesmo esse tal Deus, por que Ele não nos criou logo perfeitos? Seria muito mais fácil.

A resposta a essa pergunta, a mais comum entre os ateus, é a seguinte: como julgar as coisas de Deus, se nem consigo imaginá-Lo? Como questionar as coisas de Deus, se minha mente é incapaz de compreender as coisas dEle? Por que, então, Ele fez as coisas assim, se Ele é Deus?

Não sei, Ele é Deus, eu sou um aprendiz, é isso.

Uma coisa é certa: alguém criou tudo isso aqui, e quem o fez tem uma gerência e administração. Não tenha dúvida, tudo aqui está sob uma ordem maior, que infelizmente ainda nos é incompreenssível.

Mas haverá o dia em que o véu da obscuridade será retirado e todos nós poderemos enxergar com a terceira visão, a visão do conhecimento e do amor, disso também não tenham dúvida.

Minha vida é um exemplo de superação e de tentativas, e acredito que a sua também. O que fazer para ser completo? – você vai me perguntar.

Olha, o completo para uns não é o completo para outros. Há pessoas que ficam felizes com uma rosa; porém, há outras que sentem a necessidade de terem um buquê de rosas.

Eu já compreendi que coisas materiais são coisas materiais. E para que servem as coisas materiais? Elas só servem para nos presentear com o conforto da vida carnal. É isso que todos querem a todo tempo, é esse o grande motivo das discórdias e das tragédias.

Daí você vai me perguntar: mas Ele sabia disso quando nos criou, e por que Ele permite que tudo isso aconteça? Por que Ele permite que as pessoas se matem pela ganância, pela ignorância, pelas coisas fúteis e materiais? Isso também eu sei responder: Ele permite isso porque necessitamos disso para distinguir o certo do errado. Poxa, mas isso é muito cruel! – você vai dizer. E eu lhe digo que as coisas de Deus são assim, lentas e prolongadas. Daí você vai me dizer: mas se Ele é Deus, por que as coisas são prolongadas? E eu vou lhe responder: não sei, não consigo compreender as coisas de Deus. Eu só sei que não sei, eu só sei que Ele sabe o que faz, e tudo o que Ele faz tem um porquê.

Onde, então, encontrar as respostas, já que preciso delas para acreditar que Ele existe?

Quando você faz alguma coisa ruim, o que sente dentro do seu coração? Alguém precisa lhe repreender para que você sinta uma coisa estranha dentro de si? O que é isso? Por que eu sinto um amargor dentro de mim quando falo ou faço alguma coisa que, embora eu ache certo, algo dentro de mim diz que estou errado?

E quando faço ou falo alguma coisa boa? E quando sinto aquela sensação que mais parece um orgasmo interior, algo inexplicável? Esse sentimento não é próprio de um ser, ele é universal, ele é de todos os seres da criação.

Uma coisa é certa: quando você sente essa coisa ruim dentro de você, saiba que é Ele chamando sua atenção para as coisas que O contrariam.

E quando você se sente a pessoa mais feliz do mundo por ter realizado algo bom, saiba que é Ele lhe colocando no colo e dizendo: "muito bem, meu filho, minha filha! Parabéns!", isso é Deus.

Assim é Deus...

Você pode até me dizer que Ele não é justo com você. Você vai me dizer que não é justo o bem ser derrotado pelo mal. Eu também acho que as coisas de Deus poderiam ser mais rápidas. Mas as coisas de Deus são assim.

Como concordar com tanta injustiça, tantas mortes inúteis, tanta crueldade, tanto desmando e tanto descaso? Como ver o planeta sendo destruído pela ignorância, pela ganância e pela falta de respeito às coisas divinas? Você vai me dizer que Deus não existe, porque se Ele existisse o mundo não estaria como está.

Quantas crianças morrem todos os dias pelo descaso de nossas autoridades? Quantos animais são mortos todos os dias para satisfazer a insensibilidade da raça humana? Quantas árvores são derrubadas todos os dias? Tudo isso em nome do progresso? Que progresso? Se estamos nos matando sem nenhum motivo? Onde está Deus, que não faz nada para isso mudar? Se Ele é Deus, por que as coisas são assim?

Quanta crueldade, quanta maldade! Onde está Deus?

Eu vou lhe responder: Deus é a perfeição; e o que é a perfeição?

Perfeição para você é possuir todas as riquezas da Terra?

Perfeição para você é não ficar doente?

O que é perfeição para você?

Perfeição é ser feliz? É não ter nenhuma contrariedade?

O que é perfeição?

Talvez o que você chama de perfeição é não ter nenhum tipo de contrariedade, talvez não precisar trabalhar, ser rico, ser lindo, ser famoso, ser poderoso.

O que é perfeição?

Quantos você conhece, ou conheceu, que já tiveram todas as coisas citadas acima e que cometeram suicídio, porque suas vidas eram vazias?

O que faltou?

O que é perfeição?

Nós só usamos 7% do nosso cérebro.

O que é perfeição?

Poxa, agora você me pegou...

Perfeição, amigo leitor, é ter uma vida plena, abundante, e aquilo que toda alma precisa... Paz, amor e felicidade.

Como consigo ter uma vida plena? – você vai me perguntar.

Eu lhe digo que a vida já é plena, porque ela pertence ao Senhor, criador de todas as coisas, e a Ele está designada minha existência. Ela é plena porque é eterna, disso não tenha dúvida.

O que é uma vida abundante? Abundância, para quem não sabe, é ter alguma coisa grande, em grande porção, quantidade. E eu lhe asseguro que a vida é eterna. De novo a mesma resposta.

Onde, então, encontro a paz? A paz está naquilo que você acredita. E se você acredita que nunca vai morrer, fica mais fácil viver em paz. De novo a vida eterna.

Daí você vai me perguntar: onde eu encontro o amor? O amor está dentro de todos os seres da criação, mas não é aquele amor físico que você imagina, isso é atração. O amor é o sentimento da eternidade, ele é o único que levaremos para a vida eterna. De novo a vida eterna.

Sobrou ainda a felicidade, e essa é mais fácil entender. Quando você acreditar que é eterno – e você está começando a pensar nisso neste exato momento –, você vai disfarçar aquele sorriso que só os verdadeiros filhos de Deus conseguem expressar, o sorriso da certeza de que Ele te ama muito e que tudo está acontecendo do jeitinho que Ele quer. E que você é o filho eterno que Ele criou e ama profundamente.

O que posso dizer a você neste momento, querido leitor e amigo, é que é chegada a hora de separar o joio do trigo, como nosso querido irmão Jesus nos alertou.

Ou você acha mesmo que vamos destruir a nave, ou seja, o planeta Terra? Você acha que continuaremos destruindo nossas florestas, os oceanos, retirando todo o minério e petróleo da Terra, causando lesões quase irreparáveis ao meio ambiente, e Ele nada vai fazer? Você acha mesmo que a violência vai vencer? Você acha que o ódio vai vencer o amor? Você acha mesmo que a intolerância religiosa vai continuar a matar em nome dEle e Ele nada vai fazer? Você acredita nisso, meu irmão, minha irmã?

O que queremos? O que achamos que vai acontecer? Você acha que Ele vai descer dos céus em carruagens de fogo, com dragões ladeando seus anjos de asas grandes e suas anjas lindas? Tem certeza que é isso o que você acha que é Deus?

Você acha que Ele vai descer com um cajado nas mãos e exterminar os maus e levar os bonzinhos para um lugar chamado céu, onde todos ficam sentados sem ter o que fazer, sem ocupação nenhuma? Você acha mesmo que ter trabalhado quarenta, cinquenta ou até mesmo sessenta anos aqui na Terra para seu sustento é o suficiente para descansar pela eternidade na vida espiritual? Você acha mesmo que vai conseguir ficar sentado nos gramados do céu ou deitado em uma rede bebendo água de coco pela eternidade?

Embora alguns não acreditem, isso é real, a transformação de nosso planeta é uma realidade. E todos temos que estar preparados para a transformação. Embarque hoje mesmo na nova era, a era da *Regeneração*.

Seja bem-vindo, meu irmão; seja bem-vinda, minha irmã à bela vida que Ele reservou para você.

Gente, o papo está ótimo. Mas ótima mesmo é a história a seguir, deste livro. Recebi com amor e carinho esse grande ensinamento que transmito a você por essas linhas. Aproveite hoje mesmo para promover as mudanças necessárias para que faça parte dessa nova história e seja incluído nessa nova oportunidade. Aproveite e siga hoje mesmo a Ele. Muito obrigado.

Osmar Barbosa

"A vida é aquilo que você deseja diariamente."

André Luiz

Colônia Espiritual Amor & Caridade

A rotina da Colônia é a mesma. Cada espírito cuida de seus afazeres em setores devidamente preparados para socorrer os espíritos que acabam de deixar a Terra. As enfermarias estão lotadas e a movimentação é grande.

Nina está em uma das enfermarias infantis cuidando de algumas crianças, quando é abordada por Felipe.

– Bom-dia, Nina!

– Bom-dia, Felipe!

– Vamos ao gabinete de Daniel, ele me pediu para chamar você para um encontro – diz Felipe.

– Vamos sim, Felipe, só me deixe terminar o que estou fazendo.

– Espero você aqui fora, pode ser? – diz Felipe, apontando para uma antessala existente na enfermaria.

– Pode sim, eu já estou indo – diz Nina.

Nina está cuidando de uma criança que acaba de chegar. Essa é sua função na Colônia Amor & Caridade. Ela é responsável pelos primeiros passes que são necessários para o refazimento do espírito que chega desgastado com as quimioterapias e radioterapias. São pacientes vítimas de câncer. Esses passes são necessários ao espírito desencarnado, para seu restabelecimento, e para que ele esteja preparado para seguir em frente no mundo espiritual. Nina tem especial atenção com as crianças. Esse é seu setor de trabalho.

A Colônia Espiritual Amor & Caridade é composta por treze grandes galpões, dos quais, três são dedicados à recuperação, transição e realinhamento por meio de terapias do sono e passes dados por espíritos auxiliares. Outros quatro galpões servem de enfermaria, onde pacientes na idade adulta que desencarnam em hospitais, vítimas de câncer, são acolhidos. Outros dois são especialmente destinados às crianças, também vítimas de câncer. Há um outro, o maior de todos, onde funciona o setor administrativo, com amplas salas e teatros, onde são feitas as reuniões com espíritos que estão espalhados sobre a Terra em casas espíritas e centros cirúrgicos de hospitais. Os três galpões que faltam mencionar funcionam como centros de treinamento e escola. Há, em toda a Colônia, amplos jardins, lagos e praças, onde os espíritos recolhidos se encontram para lazer e orações contemplativas. As praças são extensas e gramadas, com diversos brinquedos semelhantes aos da Terra para as crianças.

Centenas de espíritos desta Colônia trabalham entre nós, em centros espíritas, hospitais, igrejas e orfanatos. Auxiliam-nos em nossa evolução pessoal. Espalham sobre nós fluidos necessários a nosso equilíbrio na Terra, nos alinhando, nos protegendo e nos auxiliando a seguir em frente.

Nina trabalha ainda como professora das crianças que lá chegam. Ela é auxiliada por Felipe, espírito com quem se afina por diversas encarnações. Juntos, ensinam as crianças a ler e escrever, para serem levadas a Nosso Lar, onde se comunicam com seus familiares por meio da psicografia nos centros espíritas espalhados sobre a Terra.

As crianças, quando desencarnam, precisam passar por um processo ainda um pouco lento no mundo espiritual, onde elas continuam vivendo como crianças, até adquirirem o estado de espírito adulto. Por muitas vezes esses espíritos precisam passar pela adolescência nas colônias, como forma de se depurar, e assim, readquirirem a forma adulta para seguirem para outras colônias, para reencarnarem, ou até mesmo, elas se mantêm nesse estado evolutivo, a fim de auxiliarem outras crianças que chegam a todo momento vindas da Terra. Deus é tão justo, que permite que crianças continuem como crianças, e adolescentes como adolescentes, a fim de expiarem essa prova nas colônias, evoluindo onde quer que estejam para, assim, tornarem-se espíritos perfeitos.

Daniel é o presidente da Colônia Espiritual Amor & Caridade, uma colônia criada para apoiar à Colônia das Flores, situada sobre o Estado do Paraná e Santa Catarina, que adentra São Paulo e Mato Grosso.

Diversos espíritos trabalham nessa Colônia. Espíritos afins e outros em diferentes graus evolutivos. Mas todos são muito determinados. Suas missões são de ajudar e orientar os pacientes de câncer, sejam eles crianças, jovens ou adultos, espalhados sobre a Terra.

A Colônia Amor & Caridade é especializada no restabelecimento de pacientes que sofrem intervenções quimio e radioterápicas, que lhe causam lesões ao perispírito. É necessária a intervenção dos espíritos iluminados para aprontá-los para as próximas experiências e as próximas reencarnações.

Esses tratamentos, comumente aplicados na Terra, afetam e causam lesões perispirituais, sendo necessária a passagem desses espíritos por essas colônias, para seu refazimento nas áreas lesionadas.

Nina e Felipe são espíritos afins, que seguem juntos por diversas encarnações. Eles ainda são espíritos voluntários em missões de auxílio e provas. Costumam auxiliar famílias, dando-lhes as orientações espirituais necessárias para que essas almas passem pelas provas com humildade e resignação, o que é necessário à evolução de todos.

Seja por mérito ou expiação, espíritos voluntários são utilizados pelo criador para estarem entre pessoas que nem mesmo conhecem. E assim os auxiliam em suas provas e expiações. Espíritos evoluídos como Nina e Felipe, assim como centenas em Amor & Caridade, sempre se oferecem como espíritos voluntários, para auxiliarem o caminhar da humanidade. Periodicamente eles reencarnam e trazem sempre a bondade e o amor, como fator principal e característica marcante. Eles vêm ao nosso planeta para auxiliar o desenvolvimento, a criação e a invenção de terapias e medicamentos para ajudar a muitos e a curar outros.

Por vezes, eles reencarnam entre parentes e amigos de encarnações anteriores, para auxiliá-los em seu desenvolvimento espiritual. Servem como anjos que descem do céu para aliviar dores e espalhar amor e união entre espíritos que têm muita dificuldade em se aceitar, e por esse motivo estarão sempre reencarnando, e nunca se recuperam, por não aceitarem as leis da evolução, ou de causa e efeito.

Condoídos com essa dor, espíritos como Nina e Felipe, entre outros tantos, servem sempre como intermediários entre esses, com a missão de que eles se aceitem e sigam a jornada evolutiva necessária a todos.

Há muitos espíritos voluntários como Nina e Felipe, em Amor & Caridade. Quando convocados para as missões, eles precisam passar algum tempo em Nosso Lar, adaptando-se ao processo reencarnatório.

Juntam-se a tantos outros que trabalham intensamente para que o planeta Terra seja melhor.

Nina e Felipe finalmente chegam à sala de Daniel, que os aguarda.

– Olá, Daniel!

– Olá, Nina! Entre, por favor!

– Obrigada – diz Nina, adentrando ao gabinete de Daniel junto com Felipe.

– Olá, Felipe! Como vai?

– Estou bem, Daniel, posso me sentar?

– Sim, acomodem-se, por favor.

À frente da mesa de Daniel há três cadeiras de couro brancas e confortáveis.

– Obrigado – diz Felipe, assentando-se ao lado de Nina.

– O que deseja de nós?

– Nina, teremos uma reunião muito importante daqui a algumas horas na Colônia Nosso Lar, e eu gostaria que você e Felipe estivessem lá comigo.

– Será um prazer, Daniel! – diz Nina.

– Mas do que se trata essa reunião, Daniel? – pergunta Felipe.

– Felipe, como todos já sabemos, o planeta Terra vai passar por momentos de extrema dificuldade. E nós precisaremos estar ao lado de nossos protegidos, para poder guiá-los ao caminho da regeneração.

– Será mesmo necessária a nossa presença na Terra, Daniel? – pergunta Nina.

– Sim, Nina, a coisa vai ficar feia por lá.

– Meu Deus! – diz Felipe, assustado.

– Daniel, perdoe-me a insistência, mas já sabemos que o planeta está se regenerando; isso já é de nosso conhecimento há algum tempo. Só não estou entendendo como poderemos ajudar mais do que temos feito.

– Nina e Felipe, vocês sabem que essa Colônia foi criada para dar suporte às casas espíritas espalhadas no Brasil. Nós, de Amor & Caridade, somos os responsáveis por centenas de casas espíritas, e é a elas que deveremos defender neste momento.

– É, e esse trabalho já vem sendo feito há muito tempo – diz Felipe.

– Sim, Felipe, já faz algum tempo que estamos preparando os dirigentes das centenas de casas espíritas, intuindo-os nos trabalhos diários das instituições. Somos nós os responsáveis pelos trabalhos de cura em algumas dezenas de casas, e a todo tempo estamos levando esta informação a todos. Além de alguns amigos de outras colônias que fazem conosco esse trabalho.

– Isso mesmo, há muito tempo estamos trabalhando nas casas espíritas auxiliando os operários do bem – diz Felipe.

– É isso mesmo, Felipe – diz Nina.

– Somos os trabalhadores da última hora, como todos vocês sabem – diz Daniel.

– Sim, já compreendemos nossa missão na Terra; só não gosto de ficar longe das crianças, você sabe, não é, Daniel? – diz Nina.

– Sei sim, Nina, mas já estamos há algumas centenas de anos trabalhando para divulgar o evangelho dentro das casas espíritas, e assim instruir as almas a caminharem para a transformação moral, tão necessária a que todos possam passar para o planeta regenerado – diz Daniel.

– Verdade, Daniel – diz Nina.

– A transição está a todo vapor, e agora todos os espíritos de todas as colônias receberão as últimas instruções – diz Daniel.

– Você pode nos falar um pouco mais sobre isso, Daniel? – pergunta Felipe.

– Felipe, vamos deixar esse assunto para a reunião. Lá, todos nós iremos receber as orientações e as instruções necessárias para esse tempo de transição – diz Daniel.

– Há esse tão esperado tempo de transição – diz Nina.

– Sim, Nina, há um tempo de transição em todas as coisas de Deus – diz Daniel.

– O que podemos esperar desse tempo de transição entre provas, expiação e regeneração?

– Olha Nina, o que sei é que tudo acontecerá agora, e que é chegado o grande momento.

– Mas Daniel, você não tem mais detalhes? – pergunta Felipe.

– Felipe, pense um pouco: os espíritos que recebemos aqui para auxiliarmos em seu desenvolvimento pessoal são tratados e cuidados por nós para seu refazimento pessoal. Assim, após cumprirem esse ciclo, esses irmãos seguem para outras colônias para continuarem em sua evolução pessoal, não é isso?

– Sim, é isso que fazemos aqui.

– Pois bem, assim é a transição do planeta Terra. Durante algum tempo o planeta vem sendo preparado para a transformação.

– E onde nós entramos nessa história? – pergunta Nina.

– Nós seremos os auxiliares dEle nesse novo tempo – diz Daniel.

– Nossa, que lindo, Daniel! – diz Nina.

– Nós quem? – pergunta Felipe.

– Cada colônia será representada por sete espíritos que irão compor todo o exército do bem que já está sobre a Terra, e principalmente nesse período de transição.

– E você já escolheu quem serão os sete daqui? – pergunta Nina.

– Sim, Nina, eu já escolhi – diz Daniel.

– Não vou nem perguntar quem são, Daniel, pois conhecendo-o bem, sei que só irá nos informar sobre isso na tal reunião.

– Isso mesmo, Felipe, na verdade essa reunião será um evento.

– Nossa, como assim, um evento? – diz Nina.

– Preparem-se para esse encontro – diz Daniel.

– Já estou ansiosa – diz Nina.

– Não fique ansiosa, Nina, mantenha-se tranquila – diz Daniel.

– Eu nem vou falar mais nada – diz Felipe.

– É, Felipe, é melhor você ficar calado mesmo e auxiliar Nina nas enfermarias – diz Daniel.

Após alguns segundos de silêncio, Nina interrompe Daniel.

– Mas Daniel, como podemos nos assegurar que chegou esse tempo?

– Boa pergunta, Nina. Preste muita atenção: quantos dias tem uma semana, Felipe?

– Sete dias, Daniel.

O que devemos e fazemos aqui em Amor & Caridade a cada sete dias contados da Terra, Nina?

– Nos conectamos com Deus.

– Muito bem – diz Daniel. – Nesse dia não fazemos nada a não ser nos conectarmos às coisas de Deus, não é isso?

– Sim – respondem os dois, atentamente.

– Sabemos que mil anos para o Senhor é como um dia para os encarnados, e um dia para os encarnados é como mil anos para o Senhor.

– Sim, sabemos disso – diz Nina.

– Se um dia é para Deus mil anos, quantos mil anos tem uma semana?

– Sete mil anos – diz Nina, curiosa e atenta até na respiração de Daniel.

– Pois bem. Como Emmanuel chamava a raça dos degradados?

– Raça adâmica – diz Nina.

– Vocês lembram disso? – pergunta Daniel.

– Sim, perfeitamente, Daniel.

– Foi por meio das questões relacionadas à evolução das raças que Allan Kardec perguntou-nos sobre a existência de Adão, e se ele foi o primeiro homem sobre a Terra. E nós lhe respondemos que não, que ele não foi o primeiro e nem o único homem sobre a Terra. Vocês lembram disso?

– Sim, perfeitamente, Daniel – diz Nina.

– Então me respondam: em que época viveu Adão?

– Todos sabemos que Adão viveu aproximadamente 4 mil anos antes de Cristo.

– Sim, Daniel, disso sabemos – diz Felipe.

– Então 4 mil anos antes de Jesus começou o ciclo de provas e expiação, concordam?

– Sim, com certeza – diz Nina.

– Há 4 mil anos houve um expurgo daqueles que já tinham cumprido sua missão sobre a Terra. Concordam também com isso?

– Sem, dúvida, Daniel, basta a humanidade procurar pelos egípcios.

– Verdade – diz Felipe.

– Muito bem colocado, Nina – diz Daniel.

– Em que ano a humanidade encarnada está? – pergunta Daniel.

– Dois mil e quinze – diz Nina.

– Vejamos que da vinda de Cristo até a data atual passaram exatamente seis mil anos, concordam?

– Sim – dizem Nina e Felipe, já entendendo a matemática explicada por Daniel.

– Então a humanidade está no sétimo dia, o dia do descanso. O dia da confecção ao divino. O dia do arrebatamento, como está em todos os apocalipses apresentados pelas religiões. Portanto, é chegada a hora da confecção, da reparação, do desprendimento, da separação do que é bom do que é ruim. Assim, meus queridos amigos, sejam bem-vindos à Regeneração.

– Isso já é real há algum tempo, não é, Daniel?

– Sim, Felipe.

– Nossa, somos uns tontos mesmo não é, Felipe? – diz Nina brincando.

– Por que, Nina?

– Nós nem tínhamos reparado nisso – risos.

Daniel interfere, alertando-os.

– Mas isso não é para assustá-los, vocês já atingiram a evolução suficiente para ficarem ainda por alguns bons milhares de anos – diz Daniel sorrindo.

– É, Daniel, mas não tínhamos pensado sobre isso.

– Não se perturbe, Nina. Apenas continue como está e tudo ficará a contento do Senhor.

– Obrigada, Daniel – diz Nina.

– Podemos ir? – pergunta Felipe.

– Podem sim – diz Daniel.

– Obrigada pela oportunidade – diz Nina.

– Eu é que agradeço a oportunidade de estar ao lado de vocês – diz Daniel.

– Agora vamos, Nina – diz Felipe, assustado.

– Vá, assim que eu estiver indo para Nosso Lar, aviso vocês – diz Daniel.

– Obrigado, Daniel.

Nina e Felipe saem da sala, de onde Daniel administra toda a colônia, e põem-se a caminhar para as enfermarias de Amor & Caridade, quando são abordados por Marques, secretário e auxiliar de Daniel.

– Nina, Nina!

– Diga, Marques!

Marques aproxima-se, esbaforido, de Nina e Felipe, pois essa é sua característica.

– Vocês conversaram com Daniel?

– Sim, conversamos.

– E o que é que ele queria com vocês?

– Por que essa curiosidade, Marques? – pergunta Felipe.

– Não é curiosidade, é que estou, na verdade, preocupado com vocês.

– Com assim? – pergunta Nina.

– É que ouvi um boato de que alguns de nós descerão à Terra em missão.

– Sim, e em que isso lhe incomoda?

– Não me incomoda. Na verdade, Daniel ainda não me contou o que está acontecendo lá embaixo, por isso estou curioso.

– Ah, espertinho! Você quer é saber o que está se passando, não é isso? – diz Felipe.

– Não, Felipe, você sabe que sou secretário de Daniel e sei de tudo o que acontece por aqui.

– Então, como você não sabe isso?

– É que eu estava distraído desta vez e não o ouvi conversando com Rodrigo.

– Marques, deixa de ser esperto, não vem com essa, que isso não cola – diz Nina.

– Perdoe-me, querida Nina, é verdade. Daniel não quer me contar o que está acontecendo e estou extremamente curioso, sei que isso não é legal. Confesso, estou envergonhado – diz Marques, abaixando os olhos.

Com ternura, Nina aproxima-se de Marques, pega seu queixo com o polegar e o indicador e levanta lentamente seus olhos. Olha firmemente em seus olhos e diz:

– Marques, curiosidade faz parte de nossa evolução, todas as vezes que ficamos curiosos, despertamos em nosso interior uma vontade de saber ou aprender algo, e isso é bom. Não fique assim.

– Perdoem-me, Nina e Felipe.

– Que isso, Marques, que isso... – diz Felipe.

– Vou lhe contar uma coisa, Marques – diz Nina.

– Conte-me, Nina.

– Marques, você é muito importante nessa colônia, e você sabe disso. Daniel tem um enorme carinho por você. Logo, o que você precisa saber ele próprio vai lhe contar. Basta, para isso, que você tenha paciência e sabedoria.

– É, eu sei disso, Nina. Perdoe-me – diz Marques de novo abaixando a cabeça.

E novamente Nina pega seu queixo com os dedos e diz:

– Marques, tudo aqui no mundo espiritual faz sentido, todos os dias aprendemos com nossos amigos mais iluminados. Você é um anjo amigo. Infelizmente, não posso lhe contar o teor de nossa conversa, mas vou orar à nossa Mentora para que Daniel inclua você nessa nobre missão.

– Que missão? – pergunta Marques.

– Não conte mais nada, Nina – diz Felipe.

– Vou só lhe dizer uma coisa: não existem acasos nem aqui nem na vida material. Tudo o que está acontecendo agora já está devidamente acertado entre o criador e a criatura.

– Obrigado, Nina! – diz Marques, emocionado.

– Agora voltemos às nossas tarefas – diz Nina.

– Sim, vamos trabalhar – diz Felipe olhando fixamente para Marques.

– Estou indo agora mesmo cuidar de minhas coisas. Obrigado, Nina; obrigado, Felipe – diz Marques, afastando-se.

Nina e Felipe ficam durante alguns segundos olhando Marques se afastar a passos curtos e acelerados.

– Lá vai ele, curioso como sempre – diz Nina.

– É, Nina, mas sem querer ele já nos deu uma informação.

– Como assim, Felipe?

– Ele falou que Daniel já conversou com Rodrigo.

– Nem tinha prestado atenção nisso.

– Pois é, isso quer dizer que Rodrigo certamente estará conosco nessa missão.

– Amo trabalhar com Rodrigo, acho ele o máximo – diz Nina.

– Eu também, esse cigano é meu parceiro de muito tempo – diz Felipe com um leve sorriso estampado no rosto.

– Eu que o diga! – diz Nina, sorrindo e começando a caminhar em direção às enfermarias.

– Venha, Felipe, vamos trabalhar.

– Mas Nina, quem serão os outros quatro?

– Não faço nem ideia, isso é Daniel quem tem que resolver.

– Agora eu fiquei curioso em saber – diz Felipe.

– Venha, Felipe, venha.

– Estou indo.

Nina e Felipe caminham felizes para auxiliar as crianças que são atendidas em Amor & Caridade.

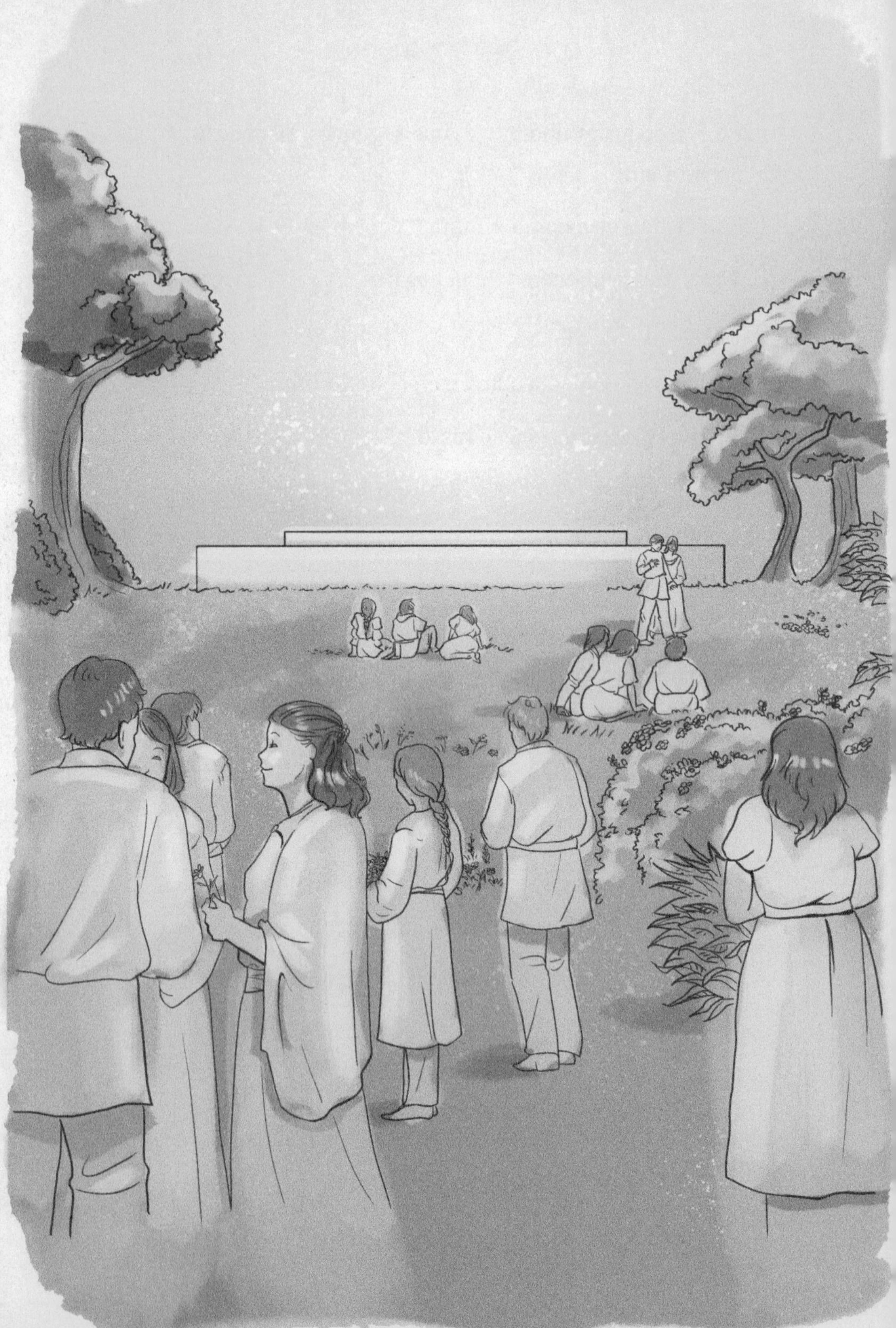

O GRANDE DIA

Nina é uma jovem de aproximadamente vinte e quatro anos, cabelos ruivos e estatura mediana. Tem ainda lindas e assanhadas sardas no rosto, olhos verdes e um sorriso encantador. Felipe é alto, tem pele morena, cabelos longos, olhos castanhos e extremamente bonitos. Rodrigo, Nina e Felipe estão juntos há muitos anos e muitas encarnações. Já viveram diversas experiências juntos, encarnados e desencarnados.

Rodrigo está caminhando pela colônia ao lado de Daniel, os dois conversam sobre os acontecimentos mais recentes.

– Bom, então será assim, Daniel?

– Sim, Rodrigo, não será nada fácil para todos.

– Infelizmente, é o que podemos fazer – diz Rodrigo.

– Sim, Rodrigo, ainda bem que nós poderemos interferir – diz Daniel, aliviado.

– É claro que a vontade do Altíssimo está prevalecendo.

– Não sei não, Rodrigo. Se não fosse pela interferência dEle, nada disso seria possível – diz Daniel.

– E Ele vai estar lá? – pergunta Rodrigo.

– Sim, Ele será o locutor. Ele faz questão de ser o instrutor das nossas missões.

– Há tempos não O vejo, e nem tenho ouvido Ele falar. Estou mesmo precisando desse encontro, confesso a você, Daniel – diz Rodrigo.

– Eu também, faz um bom tempo que não consigo vê-Lo. As tarefas da colônia me impedem de visitar outros lugares, e assim nos distanciamos mesmo sem querer.

– Verdade, Daniel! A que horas será a reunião?

– Daqui a algumas horas; vou passar em meu gabinete e já estou indo para lá – diz Daniel.

– Quais são os irmãos que você convidou para a reunião? – pergunta Rodrigo.

– Convidei todos os que estão aptos para irem a essa missão, porém ainda vou escolher aqueles que serão os representantes de Amor & Caridade.

– Sábia escolha, Daniel – diz Rodrigo. – Assim você não causa nenhum mal-estar entre todos que trabalham aqui.

– Obrigado, você quer vir comigo até o gabinete? – pergunta Daniel.

– Se não for atrapalhar, posso ir sim – diz Rodrigo.

– Venha, vamos. Vou só pegar alguns documentos que tenho que entregar em Nosso Lar.

– Então vamos – diz Rodrigo, acelerando o passo.

Rodrigo e Daniel caminham até o seu gabinete onde Marques os aguarda, ansioso.

– Olá, Daniel, olá Rodrigo, como estão? – diz Marques.

– Estamos bem, Marques – diz Daniel, aproximando-se.

– Olá, Marques, como está? – diz Rodrigo.

– Estou muito bem, e vocês para onde estão indo? – pergunta o curioso Marques.

– Estamos indo para minha sala, você não está vendo, Marques? – diz Daniel em tom de brincadeira.

– Perdoe-me, Daniel, pensei que vocês iriam para algum lugar.

– Marques, deixe de ser curioso e intrometido. O que você quer saber, na verdade, é se estou indo para a reunião em Nosso Lar.

– Não, Daniel, que isso? Jamais me intrometi em seus assuntos e jamais me intrometeria em suas reuniões.

– Não estou dizendo isso, Marques; o que acontece é que temos uma reunião em Nosso Lar e você está extremamente curioso com isso. Não é?

– É, Daniel, confesso que estou realmente muito curioso – diz Marques, meio sem graça.

– Então por que, em vez de ficar tentando descobrir as coisas pelos cantos, você não me procura para perguntar?

– Eu fico envergonhado – diz Marques.

– Após tantos anos a meu lado, logo agora você fica envergonhado?! – diz Daniel.

– Deixe de bobagens, Marques – diz Rodrigo.

— Esse é meu jeito, Rodrigo, tento não incomodar Daniel o máximo possível.

— Mas às vezes é melhor você me incomodar a ficar por aí abordando as pessoas e perguntando coisas sem nexo.

— Perdoe-me, Daniel – desculpa-se Marques mais uma vez.

— Está perdoado. Agora, me faça um favor.

— Sim, Daniel, claro que sim, o que quer que eu faça, diga.

— Calma, homem – diz Rodrigo.

— Vá até a sala de reunião e pegue aquela pasta verde que está sobre a mesa. Vamos, temos que ir para Nosso Lar – diz Daniel.

— Eu vou poder ir com vocês? – pergunta Marques.

— Sim, claro que sim. Vá até os galpões e avise a todos que eu e Rodrigo estamos em Nosso lar, esperando por vocês.

— A quem eu chamo? – diz Marques, radiante, mal conseguindo disfarçar sua alegria.

— Avise a todos. Todos estão convidados para essa reunião.

— Obrigado, Daniel, muitíssimo obrigado – diz Marques, feliz.

— Venha, Rodrigo, vamos andando – diz Daniel, puxando o amigo pelo braço gentilmente.

— Até breve, Marques! – diz Rodrigo.

— Até lá, meu amigo, até lá!

Rodrigo e Daniel seguem para a plataforma de embarque para

pegarem o veículo de transporte que os levará à reunião na Colônia Nosso Lar.

E ali permanecem aguardando pacientemente a chegada do veículo...

– Esse Marques não tem jeito não é, Daniel? – diz Rodrigo.

– Estou pensando seriamente em mandá-lo nessa missão, meu amigo.

– Você tem certeza disso, Daniel? Marques nunca participou desse tipo de tarefa na Terra.

– Pois é, Rodrigo, preciso que Marques evolua essa parte; preciso que saiba trabalhar a paciência. E isso só vou conseguir, se eu introduzi-lo nas missões, ou pedindo para ele reencarnar.

– Nisso você tem razão – diz Rodrigo.

– O que faço? Mando-o na missão ou peço a ele para reencarnar? O que você faria, Rodrigo?

– Perdoe-me, Daniel, mas essa escolha é de sua sabedoria – diz Rodrigo, humildemente.

– Pois é, estou esperando uma resposta de nossa Mentora espiritual.

– Você falou com ela? – pergunta Rodrigo, ansioso.

– Sim – diz Daniel.

– E ela, o que lhe respondeu?

– Ela ainda não me respondeu – diz Daniel.

– O pior é que só poderemos levar para essa missão um grupo de sete espíritos. Se pudéssemos levar mais alguém, eu até me comprometeria a cuidar de Marques para você – diz Rodrigo.

— Eu lhe agradeço muito, Rodrigo, mas já está mais do que na hora do Marques aprender a se cuidar sozinho.

— Nisso concordo plenamente, Daniel.

— Quantas encarnações ele teve para estar aqui ao nosso lado? Você sabe?

— Rodrigo, pelo que sei, foram setenta e duas encarnações.

— É um tempo razoável – diz Rodrigo.

— Sim, ele já está bem evoluído, o problema dele é só a ansiedade.

— Isso é verdade – concorda o amigo.

— Bom, vamos esperar a resposta de nossa Mentora. Se ela permitir, Marques será um dos seis guardiões de Amor & Caridade, que descerão com você para as missões.

— Sem problemas, o que ela decidir está decidido – diz Rodrigo.

— Vamos, o transporte chegou.

— Sim, vamos.

Rodrigo e Daniel entram no veículo que irá levá-los para a Colônia Nosso Lar. Esse veículo parece mais com um vagão de trem sem paredes; na verdade, são paredes de vidro que permitem ao viajante observar toda a paisagem à sua volta. Ele flutua e não faz barulho. Alguns andam na velocidade da luz, outros andam lentamente permitindo aos passageiros observarem a linda paisagem.

— Olha, Rodrigo, como nossa colônia está se expandindo – diz Daniel, apontando para baixo e mostrando a Rodrigo as obras de expansão da colônia.

– Sim, graças à nossa Mentora estamos ampliando ainda mais nossa obra de caridade.

– Isso lhe deixa feliz? – pergunta Daniel.

– Isso me deixa realizado, e pensar que começamos aqui como uma colônia bem pequenina, não é, Daniel?

– É verdade. Esse é o fruto de nosso trabalho, o resultado dos esforços de todos os espíritos envolvidos com o bem comum da humanidade que trabalham aqui na nossa colônia.

– Quantos galpões estão sendo construídos agora, Daniel?

– Mais oito galpões.

– Nossa, mais trabalho, né?

– Sim, mais trabalho, muito mais trabalho.

– Olhe Daniel, estamos chegando – diz Rodrigo.

Rodrigo e Daniel descem do veículo e são recebidos por um amigo muito particular de Daniel, um dos administradores de Nosso Lar.

– Olá, Daniel – diz André Luiz, aproximando-se.

– Olá, André, como tem passado? – diz Daniel.

– Trabalhando bastante aqui em Nosso Lar.

– Que bom, fico muito feliz! – diz Daniel.

– Olha quem está aqui, se não é nosso amigo Rodrigo – diz André Luiz, estendendo a mão direita para cumprimentá-lo.

Em um gesto fraterno e rápido, Rodrigo abraça André Luiz.

– Obrigado pelo carinho, nobre amigo – diz Rodrigo.

André Luiz retribui o carinho abraçando Rodrigo calorosamente.

– Quanto tempo, hein Rodrigo?

– Verdade, André, já faz bastante tempo que não o vejo.

– Como estão os trabalhos nas casas espíritas?

– Indo conforme a vontade de nossos mentores – diz Rodrigo.

– Modéstia do amigo iluminado.

Risos e abraços.

– Como está cheio isso aqui, hein André – diz Daniel.

– Daniel, nosso orador de hoje é a figura mais importante deste orbe; não seria por menos tantos espíritos aqui.

– É verdade, vamos procurar um bom lugar para ouvir suas palavras – diz Daniel.

– Venham comigo, vocês são meus convidados e irão assentar-se a meu lado e ao lado dEle – diz André.

– Obrigado, André – diz Daniel.

Próximo ao local onde ficará o orador estão sentados espíritos iluminados. Assim como Daniel, pode-se ver o doutor Bezerra de Menezes acompanhado de alguns de seus auxiliares mais próximos. A seu lado, uma legião ainda maior de espíritos iluminados, todos estão muito felizes com o encontro.

– Já escolheste seus enviados? – pergunta André Luiz.

– Ainda não, André. Confesso que tenho uma dúvida. Na verdade, espero uma resposta para me decidir pelo sétimo que irá descer na missão – diz Daniel.

– Fico feliz, Daniel, que Amor & Caridade esteja diretamente envolvida nessa missão.

– Eu é que agradeço em nome de todos da minha colônia pela oportunidade.

– Só os que merecem estão aqui hoje. Este dia é um divisor de águas para as casas espíritas espalhadas sobre a Terra – diz André Luiz.

– Sei perfeitamente o que teremos pela frente deste dia em diante – diz Daniel.

– É verdade, amigos. Hoje é marcado no mundo espiritual, o dia da aceitação e da transformação, tão necessárias a todos os encarnados.

Durante alguns séculos os homens menosprezaram as palavras consoladoras, agora é chegado o momento da batalha.

– Sim, podemos dizer, a última batalha – diz Daniel.

– Bem pensado, amigo, a última batalha – concorda André Luiz.

– Estamos preparados – diz Rodrigo.

– Eu também estava esperando por esse dia havia séculos – diz Gabriel se aproximando.

– Bem-vindo, Gabriel!

– Obrigado, André Luiz, obrigado.

– Olá, Rodrigo, como vai?

– Estou bem, Gabriel, e você?

– Ansioso para ouvir as palavras do Mestre.

– Todos estamos – diz Daniel.

– Sente-se a nosso lado, Gabriel – diz André Luiz.

– Obrigado, amigo.

Gabriel senta-se ao lado de Daniel. Rodrigo já está acomodado ao lado de André Luiz. Todos estão ansiosos com o encontro.

– Vistes quem está ali, Rodrigo? – pergunta André Luiz

– Sim, vi que é o doutor Bezerra e sua falange do bem.

– Tens encontrado com ele nas casas espíritas?

– Por vezes chegamos até a trabalhar juntos – diz Rodrigo.

– Sei que não tem sido nada fácil para você fazer o que vem fazendo – diz André Luiz.

– Eu suporto bem essa diferença – diz Rodrigo.

– É isso mesmo, amigo; os encarnados um dia entenderão que não importa de onde tenhas vindo, mas para onde tens ido.

– É o que me fortalece e conforta, André – diz Rodrigo.

– Um dia eles compreenderão que o médico que está realizando as cirurgias na casa espírita não precisa ter um nome famoso, e que um rapaz como você, um cigano, pode sim ser um instrumento de Deus para curar os aflitos.

– Não se conhece o livro pela capa, André, e sim pelo conteúdo.

– Belas palavras, Rodrigo – intercede Daniel.

– Eu mesmo já pude presenciar por diversas vezes você entrando no Umbral com a coragem que poucos espíritos têm para retirar irmãos que estavam em sofrimento – diz Gabriel, dirigindo-se a Rodrigo.

– Infelizmente os encarnados ainda precisam exercitar a compreensão e se afastarem do julgamento pré-estabelecido. Eles alegam que isso não está escrito e como não está escrito, tal coisa não vale.

– Então que fique escrito agora, que Deus se utiliza dos mais capacitados para auxiliar os menos instruídos a seguirem para a evolução – diz André Luiz, emocionado.

– Belas palavras, André – diz Daniel.

– Tolos, isso sim – diz Gabriel.

– É verdade, meu querido Gabriel; somos tolos quando não questionamos as coisas de Deus e simplesmente as julgamos como melhor nos convém.

– É isso – diz André. – Em poucas palavras você definiu tudo, Daniel.

– Obrigado, amigo, obrigado!

– Rodrigo, continue sua missão. Continue a curar, continue a pregar. Tenho certeza que o doutor Bezerra sempre estará a seu lado quando estiver auxiliando aqueles que precisam de ajuda.

– Obrigado, André, agradeço de coração as palavras – diz Rodrigo.

– Não se importe com o que falam, siga sua missão de cura; em breve tudo estará como Ele deseja – diz André Luiz.

– Sim, Rodrigo, em breve tudo estará em regeneração – diz Gabriel.

Rodrigo abaixa a cabeça em sinal de respeito e agradece com um gesto de carinho aos elogios.

Uma movimentação começa no lugar.

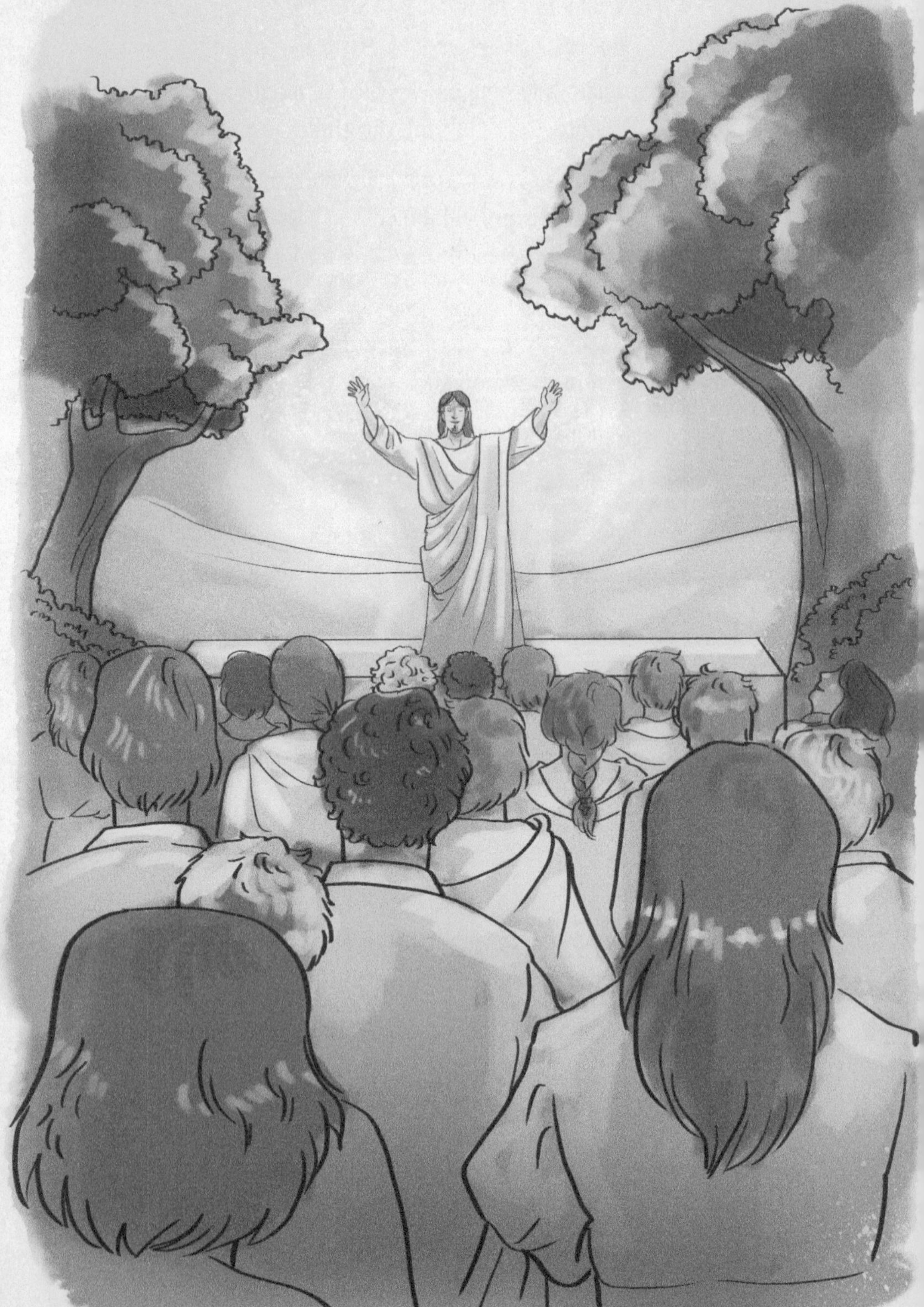

O ÚLTIMO SERMÃO

Trombetas tocam anunciando que o ilustre visitante acaba de chegar. Todos estão eufóricos com a presença do Mestre Jesus que chega caminhando lentamente, ladeado por alguns espíritos de muita luz.

Emoções, lágrimas, sorrisos, gritos, orações, preces e agradecimentos é o que se houve em todo o extenso jardim repleto de espíritos sentados. Todos estão extremamente emocionados. Alguns se ajoelham em agradecimento pela presença do Mestre.

Jesus chega sorrindo para todos, alguns estão sem mesmo acreditar em tão ilustre presença. Fazendo um gesto com as mãos, Ele pede a todos que se sentem e se acalmem, e logo inicia Sua pregação. Pássaros nunca antes vistos nas colônias começam a revoada no lugar. Uma linda canção começa a tocar, é uma canção suave tocada em flautas e violinos.

– *Queridos e amados irmãos, hoje estamos aqui reunidos para um último acerto e para os últimos ajustes ao plano evolutivo do planeta Terra. Nosso Pai me permitiu que durante alguns milhares de anos, nós reunidos estaríamos ladeando os nossos queridos irmãos em sua última e derradeira viagem evolutiva.*

Quando estive encarnado pela última vez, como todos sabem, foi pela misericórdia do Altíssimo, que me confiou a administração dos planetas da via Láctea. Estive entre todos, os justos e os injustos, direciono-os aos últimos portais evolutivos da humanidade. Não me sinto frustrado por não ter conseguido arrebatar a todos os que sinceramente eu desejava salvar. Mas Ele, que tudo sabe, me deu a nobre missão de governar e auxiliar tantos quantos quisessem seguir para a perfeição.

Infelizmente, o livre-arbítrio mal-intencionado permite àqueles que não desejam seguir adiante ficarem estacionados no tempo. Mas como todos sabem, o tempo de nosso Pai urge como as madrugadas frias do inverno. Que preparam as noites quentes do verão. O tempo é terminado. Já não há mais espaço para aqueles que por centenas e milhares de anos ouviram meus ensinamentos e minhas palavras e não deram o devido valor. Aqueles que foram tocados em seu íntimo pelos sentimentos nobres de meu Pai. Agora a Via Láctea deixa de ser uma área de transição e passa para uma era de regeneração. E Ele me incumbiu de administrar esse momento.

Nossa batalha será contra nós mesmos. Hoje, para cada espírito encarnado há sete espíritos esperando pela oportunidade, que infelizmente chegou ao fim.

Destes sete que esperam as oportunidades, três não desejam e nem querem se regenerar. Nossa batalha será contra esses espíritos que serão exilados deste orbe. Nós seremos os condutores desses irmãos de volta ao planeta Capela.

Vos sois os guardiões do tempo. A vocês eu confio a chama da libertação. Para cada grupo representante de cada colônia, lhes será concedido uma luz. Essa luz tem o poder de exilar para o Umbral aqueles que não mais desejam seguir adiante, e que não são mais merecedores do perdão. E de lá, eu mesmo pessoalmente serei o encarregado do exílio definitivo para outro orbe.

As orientações lhes serão passadas pelos dirigentes de cada colônia. E é a eles que vocês devem se reportar.

Meu coração está ferido, minha alma chora, meu espírito reclama a dor da separação temporária e necessária desses pobres irmãos que não compreenderam e não aceitaram a verdadeira e excelsa oportunidade evolutiva.

Agradeço a todos vocês que durante milhares de anos estão em missão de ajuda e socorro no orbe que administro. Sem vocês ao meu lado, nada disso teria sido possível. Meu Pai me confiou a Terra e eu a confiei a vocês, nobres espíritos de luz. Lembrem-se sempre de que não há outro caminho, lembrem-se de que o desconhecido ainda hoje é o despertar da luminosidade total no futuro.

Meu Pai, que tudo criou, vos ama, assim como eu vos amo profundamente. O amor é a essência especial de cada espírito. Embora estejamos exilando alguns irmãos, eles nada sofreram, pois o amor que tenho pela criação me impede de amar diferente.

Confio em vocês, nobres espíritos trabalhadores do amor, que a justiça será feita e que nada, nada que contrarie os ensinamentos de meu Pai seja por vocês instrumento de injustiças. Hoje eu anuncio a todos os encarnados e aos desencarnados que o planeta Terra deixa de ser um plano de provas e expiação e passa a ser um planeta de Regeneração.

A vocês, queridos irmãos, a todos os que seguem a luz. Bem-vindos ao planeta de Regeneração!

Obrigado a todos, fiquem com o amor de meu Pai em vossos corações.

Todos estão extremamente emocionados, e Jesus recebe um a um cumprimentando a todos, sentado em uma simples cadeira de madeira, feita especialmente para este encontro. O ambiente é de uma luz intensa de cor violeta. Todos sentem uma brandura enorme no peito e formam grandes filas para falar, ou até mesmo tocar, no iluminado Jesus.

Daniel, Rodrigo, Gabriel e André Luiz se entreolham até que André sugere:

– Vamos, Daniel, vamos falar com Ele – chama André Luiz.

– Venha, Rodrigo – diz Daniel, levantando-se.

Rodrigo, André Luiz e Daniel entram na fila para cumprimentar Jesus.

Nina, Felipe e os demais espíritos de Amor & Caridade assistem a tudo de longe.

Após esperar algum tempo, Daniel se ajoelha aos pés de Jesus.

– Senhor, eu gostaria de lhe agradecer as oportunidades – diz Daniel.

– *Daniel, você é um exemplo de bondade e superação* – diz Jesus, segurando as duas mãos do nobre Daniel.

– Obrigado, Senhor, obrigado – diz Daniel, levantando-se e cedendo o lugar para Rodrigo.

– Venha, Rodrigo, cumprimente o Mestre.

Rodrigo ajoelha-se e cumprimenta o nobre espírito.

– *Levante-se rapaz, você pensa que eu não sei de suas batalhas internas? Sei muito bem, conheço suas dores e sua coragem para recomeçar sem mesmo reclamar* – diz Jesus olhando para Rodrigo.

– Obrigado, Senhor – diz Rodrigo, emocionado.

– *Vocês são um exemplo de superação. Amor & Caridade é uma colônia muito comprometida comigo. Eu é que tenho muito a agradecer a todos vocês. Saibam que suas batalhas serão as mais difíceis. Mas lembrem-se que eu estarei sempre ao vosso lado para lhes auxiliar no que for necessário.*

– Obrigado, Mestre – diz Daniel.

– *Agora vá e junte-se aos seus, organizem-se e regenerem todos aqueles que puderem enquanto ainda é tempo.*

– Obrigado, Senhor – diz Daniel, afastando-se.

– Venha, Rodrigo – diz Daniel, emocionado.

Daniel quase não consegue levantar Rodrigo, que está muito emocionado.

Nina se aproxima e auxilia Daniel.

– Venha, Rodrigo, venha – diz Nina.

– Obrigado, Nina! Obrigado, Daniel!

Daniel, enfim, consegue fazer com que Rodrigo se refaça e sentam-se próximos ao Iluminado e ficam ali por horas simplesmente olhando para Aquele que é o governador da Terra.

– Quanta luz tem esse espírito, não é, Daniel? – diz Marques aproximando-se.

– Sim, Marques, não é à toa que Ele é o governador.

– Nunca tinha visto tanta luz em um só espírito – diz Nina, emocionada.

– Verdade – diz Felipe aproximando-se.

– Nossa, como ele é bonito! – diz Sheila.

Aos poucos, todos os espíritos de Amor & Caridade estão reunidos muito próximos a Jesus. Todos muito impressionados com tanta luz e simplicidade em um só espírito.

– E agora, o que faremos, Daniel? – pergunta Nina.

– Agora vamos respirar fundo e aproveitar ao máximo esse encontro – diz Daniel.

– Boa ideia, Daniel – diz Rodrigo.

Durante algumas horas todos ficam sentados e quietos ouvindo os ensinamentos do Mestre Jesus, que prossegue ensinando a todos:

– Embora muitos não acreditem, há uma ordem em todas as coisas de meu Pai. Tudo está orquestrado para a evolução. Tudo segue seu destino. Os mundos que orbitam o universo infinito reconhecem as leis evolutivas. A Terra já teve sua oportunidade, agora outros mundos outros planetas que fazem parte dessa grande cadeia evolutiva, seguiram o destino traçado por Ele. Muitos espíritos que insistem em retroagir as coisas evolutivas terão suas oportunidades em outros orbes que lhes melhor condizem com seu estado evolutivo.

Não há injustiças e nem tampouco punições, o que há é reação a uma causa anterior. Tudo converge para a evolução. Aquilo que não quer evoluir terá seu momento oportuno. Ele não pune a nenhum dos seres da criação.

O leopardo precisa caçar para alimentar-se, o homem precisa alimentar-se para evoluir. O alimento do animal é a coisa do animal, o alimento do espírito são coisas do espírito. Portanto, alimentem-se de esperança e de amor, pois só ele pode levá-los ao desconhecido mundo da perfeição.

Mas tudo o que ainda é desconhecido surgirá como uma cortina que se liberta de suas presilhas para revelar as coisas mais belas da criação. Tudo é de meu Pai. Tudo converge para Ele. E assim quando isso estiver perto, vós sentirás em seu mais íntimo ser, que a hora é chegada, e que Ele está no comando de todas as naves existentes sobre o universo.

Meu Pai, que é de amor e bondade, jamais esquecerá um pedido feito do fundo da alma. Ele simplesmente proporciona aos justos o que é dos justos e aos injustos o que é dos injustos. Essa é a lei.

Amai-vos.

As colônias, representadas aqui por seus diretores, sabem que sempre que precisarem de mim, basta solicitar, que eu e Ele estamos em comunhão com todos os seres da criação.

Novas tecnologias serão apresentadas a este orbe, novas vacinas, a cura de quase todas as doenças está muito próxima. Para tanto, o sofrimento que se estenderá sobre o planeta é necessário para que possamos expurgar um número maior de almas. Essa é a lei.

As religiões, essas não mais existirão, todos convergirão para aquela que é a verdadeira religião, que eu mesmo deixei e passei a alguns estudiosos da lei de causa e efeito. Será o mundo onde a felicidade estará em primeiro lugar para todos, e isso me deixa muito feliz. O amor pela natureza estará renovado em cada coração. Os animais, os irmãos mais jovens dos encarnados, serão aceitos como animais e não mais como alimento.

As drogas serão abolidas, as vicissitudes da alma serão extintas. O amor é a alavanca do mundo de Regeneração.

O ódio terá seu destaque somente nas trevas, que ainda existirão nas profundezas umbralinas dos sentimentos menos nobres. A esses eu dou o direito de viverem como quiserem, mas longe dos bons sentimentos e dos bons corações.

Portanto, façam aquilo que vocês têm feito durante todo esse tempo. Amem, perdoem, auxiliem e principalmente evoluam.

Após estas palavras, o Mestre sinaliza com ambas as mãos para todos e volta para as esferas mais sublimes da criação.

Todos estão extremamente emocionados e felizes. Assim termina a reunião em Nosso Lar.

Todos os espíritos ficam por algum tempo refletindo sobre os ensinamentos dados por Jesus. E após algum tempo, começam a voltar para suas colônias.

– Obrigado, André – diz Daniel, abraçando o amigo.

– Vá com Deus, Daniel, se precisar de alguma coisa, lembre-se de que estou aqui.

Todos se abraçam despedindo-se.

O veículo de transporte chega e os espíritos de Amor & Caridade são levados de volta.

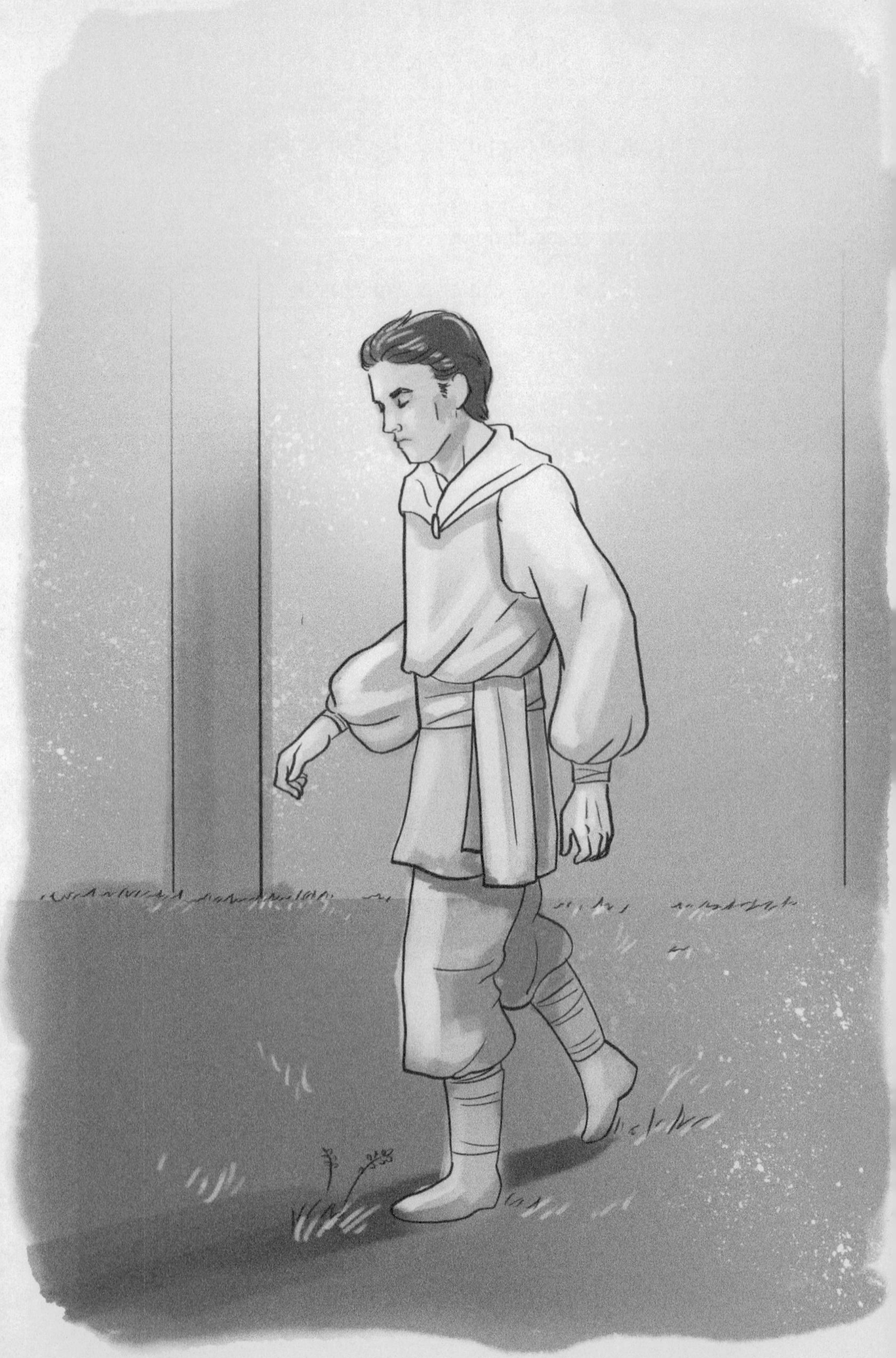

A OPORTUNIDADE

Após voltarem do encontro com os espíritos mais iluminados, Daniel convoca uma reunião com todos os trabalhadores da Colônia Amor & Caridade.

Marques anuncia nos alto-falantes que Daniel estará no telão principal, pois deseja transmitir a todos os operários da colônia sua decisão. A ansiedade é grande, os espíritos desejam saber quem são os sete escolhidos para serem os guardiões que representarão a Colônia Amor & Caridade. Rodrigo está sentado ao lado de Daniel à espera do posicionamento de todos, para então começarem a transmissão.

– Nervoso, Daniel? – pergunta Rodrigo.

– Não, Rodrigo, nem um pouco.

– Já tem a resposta de nossa Mentora?

– Sim, ela já me respondeu.

– Poderemos levar o Marques? – pergunta Rodrigo, curioso.

– Deixe-me explicar isso na transmissão. Falarei só uma vez, pode ser?

– Sim, claro, Daniel. Perdoe-me a intromissão – diz Rodrigo.

– Que isso, amigo! É que já está quase na hora.

– Fique tranquilo – diz o cigano.

Rodrigo conhece muito bem seu amigo Daniel e sabe que ele está nervoso. Após algum tempo em silêncio, o aviso da transmissão se espalha pela colônia. Logo Daniel está no ar.

Existem em todas as colônias espirituais enormes telões fluídicos, por meio dos quais os administradores se comunicam com todos os setores e com todos os operários e espíritos que estão em recuperação. Essa é uma forma inteligente e muito utilizada pelos mentores espirituais de comunicação.

Existem, ainda, pequenos monitores que se parecem com monitores de tv, mas que na verdade são telas fluídicas colocadas estrategicamente em todos os corredores e nas salas e enfermarias onde todos têm acesso a tudo o que acontece no dia a dia da colônia.

Daniel, enfim, está no ar.

– Queridos companheiros e amigos de Amor & Caridade. Como pudemos ver, hoje recebemos a incumbência de nosso governador espiritual para atuarmos de forma mais ativa nas casas espíritas espalhadas sobre a Terra. O tempo é de transição e modificação nas forças fluídicas que regem o universo.

Nós, de Amor & Caridade, nos sentimos honrados com essa missão. Infelizmente só sete espíritos poderão realizar essa dura tarefa no orbe terreno. Me foi dada a incumbência de escolher aqueles que serão nossos representantes. Optei por aqueles que estão mais habituados ao dia a dia das casas espíritas e que conhecem seus médiuns e tarefeiros muito bem.

A missão é de resgate e expurgo. Estaremos atentos aqui na colônia, para auxiliar esses irmãos, objetivando que o resultado final seja satisfatório ao governador espiritual da Terra, pois para isso fomos requisitados.

Amor & Caridade mais uma vez é solicitada a participar da transformação moral e efetivamente da nova era que se estabelece sobre o orbe terreno. E isso me deixa orgulhoso e feliz. Partilho com vocês minha emoção. Aproveito para agradecer a cada um de vocês esses longos anos que vêm me auxiliando a tornar nossa colônia o que é hoje.

Hoje defino os sete irmãos que descerão para atuar de forma ativa na missão determinada pelo nosso querido Irmão. São eles: Rodrigo, Lucas, Nina, Felipe, Ernani, Marques e a doutora Sheila. Eles serão auxiliados pelo Índio e pelo Negro que se encontram no orbe terreno à espera desses amigos.

Temos muitos desafios pela frente. Conto com a ajuda de todos e com suas orações em favor daqueles que não serão atendidos pela tão nobre missão.

A todos, meu muito obrigado.

As telas se apagam e todos ficam impressionados com a escolha de Marques.

– Nina, você viu isso? Daniel escolheu o Marques.

– Vi sim, Felipe, e estou muito feliz; afinal, o Marques terá sua oportunidade.

– Nossa! Mas você não achou isso estranho?

– Não, não achei não! Acho que o Marques, assim como nós, precisa de oportunidade.

– Mas Nina, ele nunca desceu em missão nenhuma.

– Isso certamente não será problema para ele – diz Nina, confiante.

– Não sei não, Nina. Vou até lá falar com ele.

Nina olha para Felipe com um olhar repreensivo.

– Felipe, deixe de ser enxerido! O Marques deve estar uma pilha de nervos.

– Quero abraçá-lo e felicitá-lo pela escolha, Nina – diz Felipe.

– Espere um pouco, deixe-o se acalmar – diz Nina, pacientemente.

– Tá bom, Nina! Depois então vou até ele para felicitá-lo.

– Agora venha me ajudar com as crianças – diz Nina, puxando Felipe pelo braço direito.

– Com prazer, Nina – diz Felipe.

Marques está sentado à porta do gabinete de Daniel esperando ser atendido. Muito nervoso e ansioso.

Daniel está em reunião com Rodrigo, eles estão traçando os últimos detalhes da missão.

– Daniel, o Marques está aí fora esperando para falar com você, você já sabe disso? – diz Candidiano, outro auxiliar de Daniel.

– Sim, Candidiano, o Rodrigo já me avisou de sua presença, obrigado!

– Ele deve estar bem nervoso, não acha? – diz o assistente.

– Provavelmente, sim. O Marques tem uma característica própria, ele é ansioso e nervoso em demasia. E é por isso que ele vai descer com Rodrigo, ele precisa trabalhar esse sentimento.

– Você não vai atendê-lo agora? – pergunta Rodrigo.

– Vou dar-lhe a primeira lição – diz Daniel.

– Você é quem manda – diz Rodrigo.

Candidiano sai da sala e é abordado por Marques.

– Ele vai me atender agora, Candidiano?

– Não, Marques! Ele está em reunião com Rodrigo, como você sabe.

– Puxa vida! Não suporto esperar por tanto tempo – diz Marques, contrariado.

– Não fique assim, amigo! Tenha paciência, você vai precisar dela lá embaixo.

– Como assim, *vou precisar dela*?

– Marques, sei que há muito tempo você não desce para viver experiências como encarnado.

– Sim, isso é verdade, já faz alguns anos que não desço em missão como encarnado, mas tenho trabalhado nas casas espíritas com Rodrigo.

– Sim, mas isso é diferente. Bom, não quero assustá-lo, mas encarnar significa sofrer. E você não está acostumado a isso, não é verdade?

– Sim, é verdade, mas eu não vou encarnar.

– Esse tipo de missão é como uma encarnação.

– Como assim, Candidiano?

– Vocês vão ficar muito tempo em contato com os encarnados, e isso não é nada fácil para nós – diz o amigo.

– Por quê? – pergunta Marques.

– Porque normalmente encontramos com espíritos que não estão na mesma vibração que nós e mantemos ainda sentimentos por eles.

– Como assim? – pergunta Marques.

– Meu amigo Marques, alguns espíritos que viveram conosco durante nossas encarnações ainda estão no orbe terreno. Alguns, lutando por sua evolução, mas existem outros que conhecem sua condição de espírito eterno e não desejam evoluir; esses é que nós não podemos ver e muito menos ajudar. Reencontrá-los é, para nós, um sofrimento.

– Ah, entendi. Quer dizer que aqueles familiares que não consigo mais ver nem ajudar podem estar perdidos, encarnados ou não, sobre o orbe terreno? É isso?

– Sim. E isso é muito comum, viu?

– Meu Deus, agora você me assustou.

– Por que, amigo?

– Minha mãe, meu pai e meus irmãos.

– O que houve com eles? – pergunta Candidiano.

– Nunca consegui encontrá-los. Já pedi ajuda a Daniel e ele me diz sempre que nosso livre-arbítrio é nosso condutor na eternidade.

– É verdade, isso é mesmo. Aquilo que pensamos é o que nos representa espiritualmente.

– Esse é, sem dúvida, o maior desafio que temos que enfrentar, Marques. É muito difícil quando chegamos à Terra e encontramos aqueles a quem amamos totalmente desligados dEle.

– Será que é por isso que fui escolhido para essa missão? – pergunta Marques.

– Espero que esse não seja o motivo, meu amigo – diz Candidiano.

– Agora fiquei mais assustado ainda.

– Não fique, ore.

– Sim, vou orar pelos meus familiares. Obrigado!

– De nada, amigo. Agora espere que Daniel já vai lhe atender.

– Obrigado – diz Marques, refletindo sobre as palavras de Candidiano.

Em sua sala, Daniel tem nas mãos alguns mapas, os quais está mostrando a Rodrigo, acertando os últimos detalhes da viagem.

– Rodrigo, preste atenção! Organize-se com os escolhidos por mim, vá até o Umbral e lá, encontre este local, que tive o cuidado de marcar neste mapa que lhe passo agora às suas mãos – diz Daniel, apontando com o indicador um local devidamente marcado de vermelho no mapa.

– O que você quer eu faça nesse local?

– Você precisará ter um espaço próprio de nossa colônia lá no Umbral. Crie uma zona murada fluidicamente, onde quem entra fica impossibilitado de sair. Os elementos para a construção desse espaço, que será uma espécie de presídio, já estão com o Índio.

– Entendi – diz Rodrigo.

– Para este lugar você vai levar os obsessores que estiverem atrapalhando os trabalhos daqueles que estão verdadeiramente praticando a caridade e os espíritos que não aceitarem a oportunidade evolutiva que você irá oferecer antes de levá-los para lá. Essa é sua missão e a missão dos que escolhi. Recolha esses espíritos e deixe-os nesse presídio que vocês construirão no Umbral.

– E depois, quem cuidará dessas almas?

– Haverá o dia do expurgo. Esse dia já está determinado pelo governador espiritual da Terra, e Ele mesmo é quem vai providenciar a retirada de todos aqueles que não ouviram Suas palavras e que decidiram ficar na escuridão.

– Se é isso que você determina, é isso que vamos fazer.

– Prepare-se para enfrentar espíritos poderosos, Rodrigo – alerta Daniel.

– Pode deixar, Daniel, mas deixe-me lhe perguntar uma coisa...

– Sim.

– Por que será o governador quem fará o expurgo? – pergunta Rodrigo.

– Porque assim está escrito – diz Daniel.

– Em Apocalipse? – pergunta Rodrigo.

– Sim, está escrito que Ele virá e separará o joio do trigo, lembra-se?

– É verdade, Ele disse isso em Sua última encarnação – diz Rodrigo.

– Lembre-se que Ele disse: *"Passará o céu e a terra, mas as minhas palavras jamais passarão"*.

– Mateus?

– Isso mesmo, está no evangelho de Mateus. Assim tudo se cumprirá.

– Daniel, fico muito orgulhoso de poder participar disso tudo.

– Nós também ficamos orgulhosos de você, Rodrigo.

– Obrigado, Daniel!

– De nada, amigo. Agora chame o Marques, acho que já deu tempo para ele se acalmar.

– Vou chamá-lo.

Rodrigo levanta-se e vai até a porta principal do gabinete para chamar Marques, que está sentado em uma confortável cadeira acolchoada.

– Marques, entre, Daniel quer falar com você.

– Obrigado, Rodrigo! Não via a hora de ser chamado.

Rapidamente Marques entra e senta-se numa cadeira à frente de Daniel.

– Olá, Daniel!

– Olá, Marques, como está?

– Estava bem nervoso, mas agora estou mais calmo.

– Está preparado para a missão? – pergunta Daniel.

– Não faço nem ideia de minha utilidade nesta missão, mas se é você quem determina, quem sou eu para questionar?

– Muito bom, Marques, realmente você não tem o que questionar; e se quer saber, você será muito útil a Nina e a Felipe, enfim, a todos do grupo, tenho certeza!

– Quero lhe agradecer a oportunidade, Daniel – diz Marques, estendendo a mão para cumprimentar Daniel.

– Não precisa agradecer, basta fazer um bom trabalho – Daniel retribui o gesto apertando a mão de Marques.

– Disso você pode estar certo, darei o melhor de mim para auxiliar Rodrigo e todos os amigos que estarão comigo na Terra.

– É assim que se fala, Marques! – diz Rodrigo.

– Obrigado, Rodrigo, e pode contar comigo.

– Olha Daniel, como ele está calmo – diz Rodrigo, brincando.

– Verdade, você está muito calmo, Marques. Isso não é costume seu.

– É, Daniel, agora compreendo que as coisas de Deus têm um tempo certo para acontecer, assim nos disse o Iluminado na palestra de hoje.

– Que bom que você entendeu a mensagem dEle!

– Entendi perfeitamente, entendi que devemos trabalhar para nossa evolução constantemente.

– É assim que se fala, Marques! – diz Rodrigo.

– Obrigado, Rodrigo. Podem contar comigo – diz Marques, emocionado.

– Fico muito feliz em ver você assim, Marques, parabéns! – diz Daniel.

– Eu é que agradeço mais uma vez a oportunidade.

– Agora já é hora de vocês se organizarem para a viagem. Rodrigo, por favor, vá com o Marques e reúna os escolhidos. Assim que estiverem prontos, me avisem, que vou lhes passar as últimas instruções.

– Vamos indo, Marques – diz Rodrigo se levantando.

– Vamos sim, e muito obrigado mais uma vez, Daniel.

– Vão rapazes – diz Daniel.

Rodrigo e Marques se dirigem ao galpão central onde todos os participantes da missão já estão reunidos, planejando e conversando sobre o que farão.

"Deus dá as batalhas mais difíceis aos seus melhores soldados."

Papa Francisco

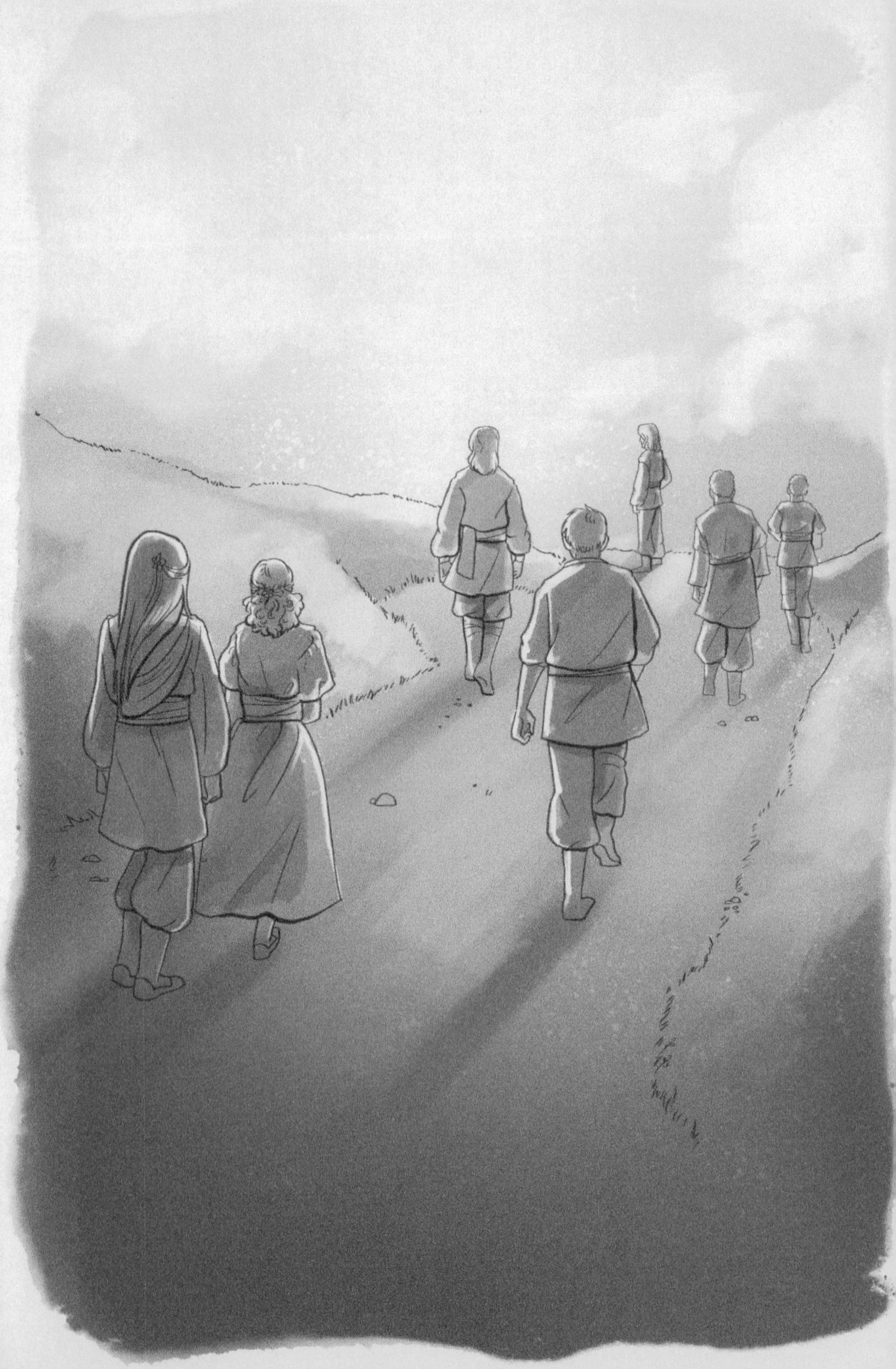

A MISSÃO

Todos estão prontos e aguardando a chegada de Daniel para lhes dar as últimas instruções. Rodrigo está sentado em um banco, e ao seu lado está Nina. Felipe está de pé conversando com Marques. Lucas, Ernani e Sheila estão sentados em outro banco um pouco afastados.

– Ernani, o que você achou dessa ideia do Daniel de levarmos o Marques nessa missão? – pergunta Sheila.

– Doutora, sinceramente desconheço os motivos que levaram Daniel a escolher Marques, mas sabemos que ele é um espírito muito iluminado e profundo conhecedor das coisas de nossa Mentora. Pode ser esse um dos motivos que fizeram com que Daniel nos desse esse imenso prazer. Afinal, Marques é um amigo fiel e certamente vai nos proporcionar momentos de alegria.

– Isso é verdade – diz Lucas.

– Sei disso também, só que Marques sempre esteve aqui na colônia, organizando as coisas de Daniel. Como ele vai se virar agora sem o Marques para lhe auxiliar? Embora ele tenha o Candidiano, o Marques é o mais antigo amigo de Daniel.

– Sobre isso não faço a mínima ideia – diz Lucas.

– Pensando dessa forma, realmente é muito estranha essa decisão. O Marques sempre foi o secretário de Daniel, é ele que organiza sua agenda e tudo mais. Agora fiquei curioso também – diz Ernani.

– Podemos perguntar isso a ele. Olhe quem está chegando! – Sheila indica a chegada de Daniel.

A passos lentos com voz serena e sorriso discreto, Daniel se aproxima do grupo.

– Boa-tarde a todos!

– Boa-tarde, Daniel – todos respondem quase juntos.

– Vejo que o grupo já está afinado e pronto para seguir viagem.

– Estamos ansiosos para descer e começar logo nossa missão – diz Rodrigo.

– Vocês já irão, só preciso lhes passar algumas instruções – diz Daniel.

– Daniel, antes de você nos passar as instruções, posso lhe fazer uma pergunta? – diz Lucas.

– Claro, meu rapaz – diz Daniel.

– Por que você permitiu que Marques fosse nessa missão conosco? Não que eu não queira sua companhia, longe de mim pensar isso, mas todos nós estamos curiosos. Afinal, ele é seu secretário particular, sempre cuidou de suas coisas.

– É por esse motivo que ele vai com vocês – diz Daniel.

– Como assim? – pergunta Nina.

– Nina, minha querida, tenho tanta estima pelo Marques, que chegou a hora de ele receber essa oportunidade evolutiva. Como todos sabem, ele tem uma característica muito própria, é naturalmente ansioso, e isso tem atrapalhado sua evolução espiritual. Os espíritos, para evoluírem, precisam administrar perfeitamente todos os sentimentos. Pedi permissão à nossa Mentora espiritual para incluí-lo nessa que é, sem dúvida, uma das mais belas missões já dadas pelo Arquiteto deste planeta a todos nós de Amor & Caridade. Vocês agora são os representantes de nossa colônia, e há um tempo para que tudo se cumpra.

– Isso é ótimo, Daniel! Estamos mesmo ansiosos e esperançosos, somos gratos por essa oportunidade de ajudar ainda mais – diz Rodrigo.

– Sim, confesso que eu também estava curioso e muito esperançoso de que seríamos usados nesse período de transição planetária. E fiquei muito feliz quando recebi a notícia de que nossa colônia estaria incluída nesse processo – diz Lucas.

– Daniel, você pode nos explicar um pouco mais sobre o que está acontecendo e como tudo irá acontecer? Eu sei que você já nos falou um pouco sobre esse momento, mas gostaria de partilhar essas informações com todos os presentes – diz Nina.

– Posso sim, Nina, com muito prazer. Agora prestem atenção: o planeta Terra, há aproximadamente 4 mil anos antes da chegada de Jesus, adentrou o período de provas e expiação, com a chegada de todos nós que viemos exilados de Capela.

– Sim, disso sabemos, embora não lembremos; sabemos que essa foi a nossa origem – diz Marques.

– Muito bem. Agora é chegada a hora daqueles que aqui chegaram conosco e optaram por não evoluir voltarem para casa.

– E é Jesus quem vai fazer isso? – pergunta Sheila.

– Sim, Ele mesmo! Lembrem-se de que Ele se comprometeu a cuidar do planeta pessoalmente; assim Lhe foi outorgado o cargo de governador espiritual da Terra. Aliás, não só da Terra, mas de toda a galáxia.

– Realmente, o que Ele fez é de se admirar – diz Nina.

– É verdade, Nina. Aconteceu que Jesus, Ele próprio, precisou voltar e encarnar vivendo um período entre os homens para que pudesse deixar para a humanidade uma direção, e foi isso que Ele fez, quando nasceu de Maria, Sua mãe.

– Nossa Daniel! Deve ter sido horrível para Ele reencarnar – disse Nina.

– Sim, Nina, foi realmente um sacrifício muito grande para Ele. Para se ter uma ideia, alguns corpos que Ele tentou usar para a encarnação simplesmente se dissolveram, tamanha era sua aura espiritual naquele tempo. Então, tudo foi organizado para que Ele tivesse uma encarnação perfeita.

– Daniel, por que Ele escolheu o Oriente para reencarnar? – pergunta Felipe.

– Porque era ali que estava se desenhando o princípio religioso da humanidade, e era ali que deveria estar. E era ali que Deus já havia se revelado a Moisés.

– Entendi – diz Felipe.

– Lembrem-se, nada é por acaso; tudo tem um porquê e um para que – diz Daniel, advertindo a todos.

– Entendemos isso, Daniel – diz Marques.

– Mas Daniel, naquele tempo havia sobre o orbe terreno uma quantidade muito inferior de espíritos encarnados. Por que só agora, quando milhões de espíritos estão tendo suas oportunidades, é dada a ordem para a Regeneração? – pergunta Nina.

– Nina, esse foi exatamente um dos argumentos que Jesus usou para conseguir adiar para os dias de hoje a nova era. Além disso, já estava determinado um tempo certo para tudo acontecer. Naquele tempo existiam muitas almas encarnadas, porém Jesus solicitou a Deus que Lhe fosse outorgada a administração desse orbe, para que Ele pudesse levar para a Terra espíritos de outros planetas, e os auxiliassem a evoluir. Jesus arguiu exatamente isso. Ele disse ao Pai que havia uma discrepância entre o tempo e a razão do tempo. E assim Ele conseguiu convencer o criador a deixá-Lo administrar o que podemos ver hoje. Isso é o que imaginamos ter acontecido. Lembrem-se de que há muitos mistérios nas coisas de Deus, e por mais que tenhamos evoluído, muitas coisas ainda são incompreensíveis para nós.

– E agora, Daniel, e agora? – pergunta Ernani.

– Agora aqueles que evoluíram ficaram na Terra, aqueles que durante esses anos se recusaram a evoluir serão expurgados deste planeta.

– Para onde eles irão, Daniel? – pergunta Sheila.

– Voltarão para Capela, de onde viemos – diz Daniel.

– Mas Capela não evoluiu? – pergunta Felipe.

– Sim, Capela foi preparada para receber os que agora voltam para casa.

– Entendi perfeitamente, Daniel – diz Sheila, emocionada.

– Daniel, posso tirar uma dúvida com você? – pergunta Rodrigo.

– Sim, Rodrigo, claro!

– Ouvimos hoje lá na reunião, que milhares de espíritos serão expurgados para esse planeta, digo exilados ou mesmo transferidos para esse planeta chamado Capela, segundo você agora nos informa. Os motivos já estão bem claros, entendi que as oportunidades foram apresentadas aos encarnados e também aos desencarnados por séculos e séculos, e esses pobres irmãos simplesmente se recusaram a evoluir.

– Sim, é isso mesmo, Rodrigo – diz Daniel.

– Quantos espíritos estarão trabalhando sobre o orbe terreno neste momento! Quantos estarão auxiliando nesse que é, sem dúvida, em minhas encarnações, o maior episódio de que participo e até mesmo que vivencio!

– Olha, as informações são as seguintes: hoje sobre o orbe terreno existem aproximadamente 70 mil colônias espirituais, das quais saíram sete espíritos. Estes serão os trabalhadores desse resgate.

– É pouco, eu acho – diz Felipe.

– Não, não é, Felipe! Preste atenção: para cada encarnado hoje sobre a Terra existem sete espíritos esperando a oportunidade de reencarnar; destes sete, três serão exilados, portanto sobram quatro que ficarão para a posteridade, e muitos desses já não reencarnam mais, são espíritos como nós, que já estão convertidos ao bem e trabalham incessantemente para o progresso de todos.

– Ah, sim! Então, na realidade existem poucos que estão esperando para reencarnar, é isso?

– Perdoe-me se não me fiz claro, vou explicar de uma outra forma para o melhor entendimento – diz Daniel.

– Obrigado, Daniel, pois confesso que estou confusa – diz Nina.

– Prestem atenção: para cada espírito encarnado existem outros sete que estão esperando pela oportunidade evolutiva. *Ok*?

– Entendemos, Daniel, prossiga por favor – diz Rodrigo.

– Desses sete que estão esperando pela oportunidade, três serão exilados. *Ok*?

– Sim, Daniel prossiga, por favor – diz Lucas.

– Destes quatro que sobraram, a maioria quer reencarnar para ajudar seu familiar, seu espírito afim a evoluir. Entenderam?

– Sim, Daniel – dizem todos.

– E tem mais: desses quatro que estão tentando reencarnar para auxiliar seus amigos, três já estão fazendo isso nos auxiliando aqui nas colônias ou nas casas espíritas, como espíritos mentores e operários do bem. Não só nas casas espíritas, mas também nas igrejas e em muitos outros lugares, onde a Palavra de Deus é pregada e onde as pessoas de bem buscam sua evolução espiritual.

– Quer dizer que desses quatro que sobraram, a maioria é como nós que entendemos que precisamos evoluir e estão espalhados por essas 70 mil colônias servindo ao criador? É isso?

– Exatamente, Rodrigo! Exatamente, assim toda a obra se cumpre.

– Então nosso trabalho lá embaixo será relativamente fácil – diz Lucas.

— Aí é que você se engana, Lucas. Esses espíritos que serão exilados reconhecem sua condição de espírito maligno e têm um certo poder.

Eles já sabem que serão exilados e estão a todo custo tentando impedir que a Regeneração se estabeleça.

— Como podem fazer isso, Daniel? – pergunta Felipe.

— Você se esqueceu de que todos os filhos de Deus têm o livre-arbítrio e que tudo podem? – adverte Daniel.

— Não, não me esqueci, mas é muita tolice lutar contra a ordem natural de Deus. Todos sabemos que tudo converge para Ele – diz Nina.

— Sim, eles também sabem disso, mas optaram em viver na escuridão.

— Meu Deus! – diz Nina, assustada.

— É chegada a hora, e vocês são os representantes da Colônia Espiritual Amor & Caridade. Façam um bom trabalho – diz Daniel.

— Pode confiar, Daniel, não iremos decepcioná-lo – diz Rodrigo.

— Obrigado, Rodrigo – agradece Daniel, emocionado.

— Nos é que agradecemos a oportunidade e a escolha, Daniel – diz Marques.

Todos se aproximam e abraçam o mais iluminado de Amor & Caridade.

— Venham, vou lhes dar o cajado que me foi entregue pelo governador. E lembrem-se: esse instrumento só deverá ser usado nas fases mais extremas do convencimento. Vocês têm que arguir aos interpelados mostrando-lhes que ainda há uma última oportunidade evolutiva. No último dos casos é que esse instrumento deve ser usado.

E o mais importante: uma vez usado, não há como desfazer.

– Entendemos, Daniel – diz Nina.

– Tome, Rodrigo! – Daniel lhe entrega o instrumento.

– Obrigado, Daniel – diz Rodrigo.

Daniel passa às mãos de Rodrigo um lindo cajado cravejado de pedras coloridas, feito de ouro maciço. Logo que Rodrigo coloca a mão no cajado ele se acende. Uma luz intensa se expande em todo o ambiente. Daniel permanece de pé ao lado de Rodrigo. Ambos estão felizes.

Daniel abraça a todos, despedindo-se.

– Agora vão – diz Daniel.

– Obrigado, Daniel – diz Nina.

– Vão e encontrem-se com o Índio, ele será o guia de vocês nessa jornada espiritual.

– Obrigada, Daniel – diz Sheila.

Todos se abraçam e se despedem do frei Daniel.

A colônia inteira está do lado de fora do galpão. E quando os sete saem caminhando pela trilha que leva ao setor de transporte, todos os mais de trezentos trabalhadores de Amor & Caridade se ajoelham e oram pelos sete representantes da colônia.

Nina segue emocionada acenando para as crianças. Algumas choram a ausência de sua benfeitora; outras sorriem e lhe desejam boa sorte.

A colônia agora está em uma grande corrente de orações.

Rodrigo vai à frente do grupo, carregando o cajado brilhante na mão direita. Por vezes ele levanta e saúda a todos os amigos de Amor & Caridade.

Ao longe, Daniel observa, emocionado, toda aquela linda imagem que jamais sairá da lembrança desse iluminado espírito.

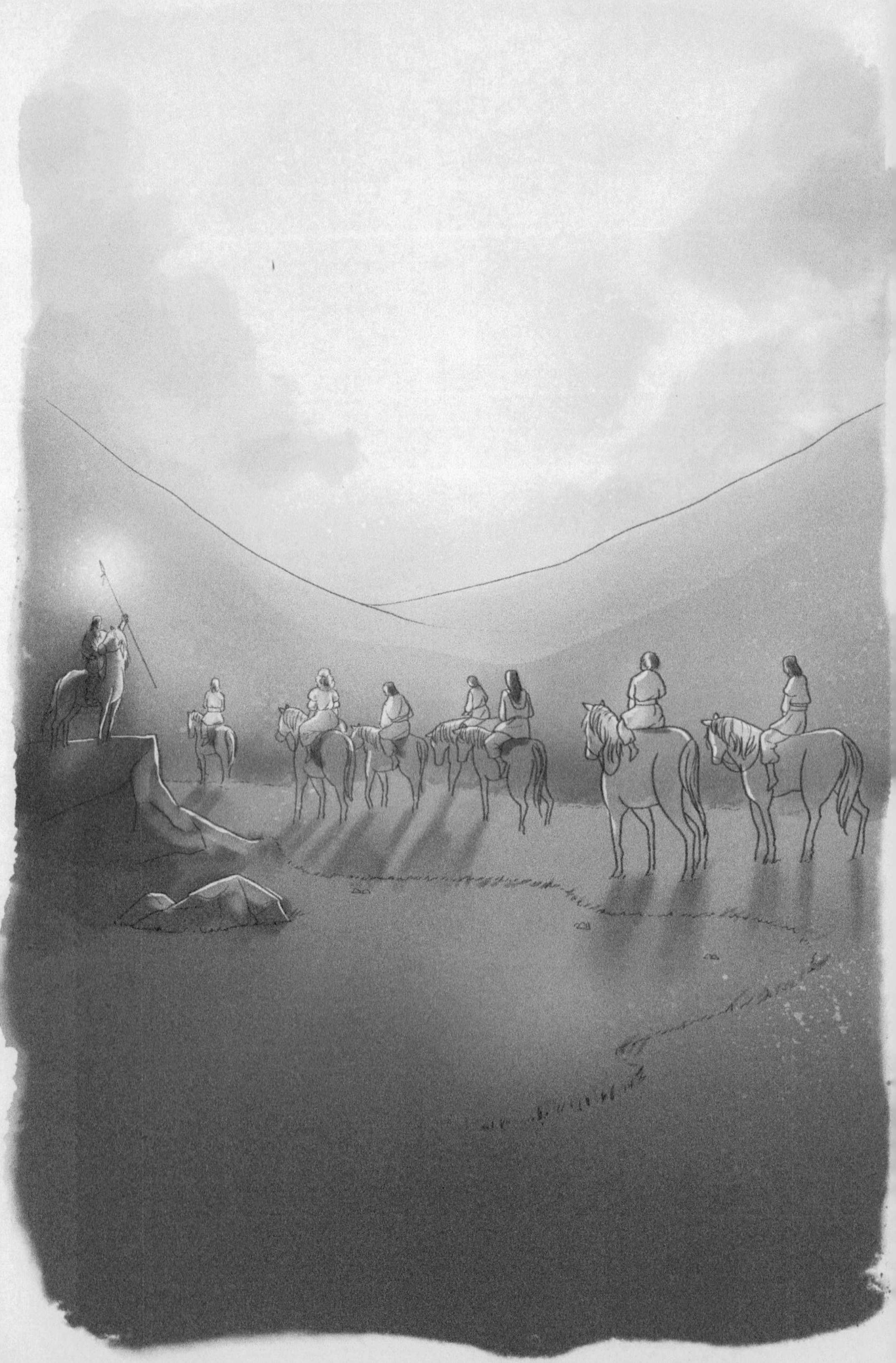

SOBRE A TERRA

Chegando próximo a uma aldeia, dentro de uma floresta onde as árvores são indescritíveis e as flores são perfeitas em cores e cheiros, os sete viajantes são recebidos pelo amigo, o Índio, que os aguarda às margens de um lindo rio de águas cristalinas.

– Olha, Rodrigo, lá está o Índio – diz Nina.

– Já estou vendo.

– Ele está acenando para nós – diz Marques.

– Sim, Marques, eu já estou vendo; venham, vamos encontrá-lo do outro lado do rio.

Lentamente, eles atravessam o rio onde o Índio os aguarda ao lado do amigo, o Negro.

– Bons-dias, amigos, como estão? – diz Rodrigo se aproximando.

– Olá, Rodrigo, que bom revê-lo! – diz o Índio.

– Olá, senhorita Nina, cada dia mais bonita, hein! – diz o Índio.

– São seus olhos, meu amigo Índio, são seus olhos – responde Nina, gentilmente.

– Olá, Felipe!

– Olá, amigo Índio – responde Felipe, estendendo a mão direita para cumprimentar o Índio.

– Por onde vamos começar? – pergunta Rodrigo.

– Bom, a instrução que Daniel me passou foi que eu os leve até o Umbral, onde iremos construir uma prisão fluídica, para onde levaremos depois aqueles que não querem se regenerar, é isso?

– Sim, é isso mesmo – diz Rodrigo.

– Então vamos seguir em frente? – pergunta Rodrigo.

– Sim, Rodrigo – diz o Índio. – Vamos até minha aldeia; lá, encontraremos alguns amigos e, juntos, poderemos seguir para o Umbral.

– Então vamos – diz Rodrigo.

– É longe? – pergunta Nina.

– Não, Nina, é perto; é logo depois daqueles flamboaiãs.

– Lindos os seus flamboaiãs.

– Obrigado, Nina! Cuidamos muito bem dessa parte da colônia. Aqui é a porta de entrada de todos aqueles que chegam de sua última encarnação.

– Eu me lembro muito bem o dia em que passei pela primeira vez por esse portal – diz Lucas.

– Realmente, esse lugar é muito lindo – diz Sheila.

– Venha, Ernani, pare de ficar olhando tudo como se nunca tivesse visto algo tão bonito assim – diz Marques em tom de brincadeira a Ernani.

— Olha Marques, confesso que não me lembro de ter passado por aqui para chegar à colônia — diz Ernani.

— Mas foi por aqui que eu trouxe você — diz Rodrigo.

— Eu devia estar muito grogue, por isso não lembro, mas que é bonito esse lugar, não tenham dúvida — diz Ernani, maravilhado.

— Olhe, gente, que linda aldeia de índios! — diz Nina.

Treze grandes ocas estão estrategicamente colocadas em forma de círculo, muitas crianças estão correndo ao encontro de Nina e dos mais ilustres visitantes.

Nina para e se ajoelha. Ela fica de braços abertos esperando pelas crianças que correm em sua direção. Todos ficam parados esperando pela aproximação dos meninos e meninas seminus, enfeitados com penas e com grande parte do corpo pintada com cores vivas.

— Oh meu Deus, como são lindas estas crianças! — diz Nina sendo derrubada ao chão com tantos abraços.

Nina já é uma velha conhecida da aldeia, sempre que pode visita as crianças.

— Venha, Rodrigo, vamos até minha oca, preciso lhe mostrar umas coisas.

— Sim, Índio.

— Gente, fique à vontade. Vou até a oca do Índio conversar umas coisas com ele.

Lua Vermelha, uma bela índia, morena, jovem de aproximadamente dezessete anos, se aproxima do grupo e é saudada por Nina.

– Oi, Lua!

– Oi, Nina, como está?

– Estou muito bem, e você?

– Estou ótima.

O Índio interfere na conversa ordenando a Lua Vermelha que acolha os recém-chegados.

– Lua Vermelha, levem todos para comerem e descansarem, pois amanhã sairemos para nossa missão.

– Sim, meu amor.

Lua Vermelha é a esposa do Caboclo Ventania, que todos chamam carinhosamente de Índio. Essa é uma aldeia indígena de espíritos que viveram durante muitos séculos na psique, mas voltados para os elementos da natureza. Agora receberam a oportunidade de serem os que guardam as entradas da maioria das colônias espirituais.

Por serem profundos conhecedores dos elementos da natureza, esses espíritos são aproveitados pela ordem superior para vigiarem e protegerem os iluminados em suas visitas ao orbe terreno.

Deus concede a Seus filhos, independentemente de raça, cor, credo ou até mesmo forma, a oportunidade de servir com aquilo que de melhor construiu em sua psique. Assim é o mundo espiritual. Se durante muitas encarnações você foi um arquiteto, tenha certeza que o melhor de você é a parte do arquiteto, e isso será usado de alguma forma na construção das coisas de Deus.

– Olha, Nina! Aquela menina está procurando você, mas por que ela não vê? – pergunta Marques.

– Porque ela não quer ver, Marques, simples assim – diz Nina.

– Gente, eu não entendi nada – diz Marques, assustado.

– Ela está brincando de cabra-cega com a Nina, Marques. É só isso – diz Felipe.

– Como ela consegue fazer isso?

– Com o tempo você vai entender que há poderes nestes seres que nós desconhecemos.

– Mas como assim, Felipe? – pergunta Marques.

– Eles estão há milhares de anos aqui embaixo e conhecem perfeitamente os elementos energéticos desse lugar – diz Felipe.

– Você está me dizendo que eles conseguem manipular os elementos da natureza etérea que existem fisicamente neste orbe?

– Isso, exatamente assim, meu amigo; eles conhecem perfeitamente tudo o que a natureza oferece ao encarnado. E alguns deles conseguem manipular esses elementos a seu favor – diz Felipe.

– Perdoe-me, Felipe, mas como assim? – insiste Marques.

– Marques, aqui tudo é energia, todas as coisas que Deus criou detêm uma energia específica. E os índios são profundos conhecedores dessas energias. Daí eles conseguem manipular isso para seu benefício. Isso já é uma coisa antiga no orbe terreno, todos sabem que a água do mar detém um tipo de energia. As águas dos rios detêm outra, as ervas, as plantas, os minerais, os vegetais e tudo o que existe nesse plano detêm uma energia que pode ser benéfica ou contrária a tudo e a todos.

– Nossa, que legal! – diz Marques.

– É, mas nem todos conseguem manipular isso com tamanha destreza. Na verdade, são poucos os que conhecem bem as coisas aqui embaixo.

– Entendi – diz Marques.

– Agora venha, que quero lhe mostrar uma coisa – diz Felipe.

– Sim, vamos.

Após caminharem, Marques vê uma velha índia sentada, pitando um cachimbo de barro e soltando a fumaça em sua direção. Ele fica assustado e tenta afastar-se da velha índia.

– Calma, Marques, não precisa ter medo – diz Felipe, segurando seu braço.

– Olá, Jurema! – cumprimenta Felipe.

– Olá, jovem iluminado!

– Jurema, eu trouxe um amigo nesta visita e gostaria de lhe apresentar.

– Sente-se, senhor acelerado – diz a velha índia, dirigindo-se a Marques.

– Como a senhora sabe que tenho esse problema de ansiedade?

Felipe senta-se e começa a rir de Marques.

– Sente-se aqui, Marques, venha – diz Felipe.

– Do que você está rindo, Felipe? – pergunta Marques, chateado.

– Não é nada, Marques, sente-se aqui ao meu lado, por favor!

Marques senta ao lado de Felipe, desconfiado da velha índia.

– Não repare não, Jurema, ele é assim mesmo – diz Felipe.

– Esse moço já viveu muitas vidas importantes, já era para ter aprendido que o tempo é o melhor remédio para todas as enfermidades. Ele viveu ao lado de Jorge da Capadócia, e Jorge já o orientava a ser mais calmo e ter mais serenidade nas coisas de sua vida.

– Como você sabe dessa minha vida? – pergunta Marques, curioso.

– Meu filho, sou uma velha índia que já viveu algumas encarnações como índia; e nós, índios, sabemos das coisas, tenha certeza disso.

– Que legal! A senhora já viveu quantas encarnações? – pergunta Marques, curioso.

– Na vida de índia, dezessete encarnações – responde Jurema.

– Nossa! Bastante coisa, né Felipe? – diz Marques.

– Sim, Marques, bastante experiência.

– E a experiência de vida me ensinou muitas coisas – diz a velha índia, pitando seu cachimbo.

– Já lhe contaram na sua colônia que não existem acasos? – pergunta Jurema.

– Sim, já sabemos que tudo segue uma ordem evolutiva – diz Marques.

– É isso, meu filho, é isso mesmo. E o fato de você estar aqui hoje não é por acaso. Daniel me pediu que lhe desse um remédio que muito vai lhe auxiliar nessa missão.

– Como assim, você esteve com Daniel? – pergunta Marques, assustado.

– Daniel preside sua colônia, não é isso? E nós somos quem toma conta da entrada da sua colônia, foi esse o acordo que ele fez com meu filho. Desde então estamos aqui cuidando da proteção, tão necessária, a Amor & Caridade.

– Olha que legal, eu não sabia disso – diz Marques.

– Estamos juntos há bastante tempo – diz Jurema.

– Você sabia disso, Felipe? – pergunta Marques.

– Sim, eu já sabia desde a época em que o Índio foi me buscar no Umbral.

– Nossa, que legal! E por que vocês, índios, não sobem na escala evolutiva? Por que vocês não sobem para nossa colônia? – pergunta Marques.

– Vejo que o amigo é um ávido aprendiz. Vou lhe dizer porque a gente não sai daqui: se sairmos daqui, quem fará nosso trabalho? Quem será o guardião das fronteiras entre as colônias? Quem guardará o Umbral? Quem tomará conta das coisas da natureza, tão necessárias ao equilíbrio do ecossistema do planeta Terra?

– Não tinha pensado nisso – diz Marques.

– Isso não é defeito só seu, meu jovem. Muitos julgam serem desnecessários espíritos como nós, que adquirimos através de milhares de encarnações os conhecimentos necessários para que tudo fique como está, para que tudo aconteça como Ele deseja.

– Compreendi perfeitamente, dona Jurema – diz Marques.

– Tolos são aqueles que julgam as coisas que desconhecem – diz Jurema.

– Tolos são aqueles que desconhecem as coisas de Deus e julgam acharem-se conhecedores dos mistérios necessários à evolução dos espíritos. Muitos dos que se dizem seguidores de Jesus só estão dentro das casas espíritas para julgar seus semelhantes. Tolos os que acham que conhecem as coisas de Deus, mais tolos ainda são aqueles que seguem os livros antigos. Vocês têm que aprender que as coisas de Deus são dinâmicas, que tudo se modifica todos os dias para que a evolução se estabeleça entre as raças e, principalmente, que impulsione o homem a seguir para a evolução.

– Verdade, Jurema – diz Felipe.

– Sábias palavras, Jurema – diz Marques.

– Esse é um dos maiores desafios que vocês encontrarão pela frente. Nós, índios, caboclos, espíritos obreiros do bem que estamos sustentando as casas espíritas espalhadas sobre o orbe terreno, somos julgados como espíritos de baixa grandeza; e o pior é que quem nos julga são espíritos que agora serão exilados para Capela, porque a vaidade, o orgulho e principalmente a ignorância sempre predominaram em seus corações. A nós só resta orarmos ao criador para que perdoe essas almas.

– Nossa, se soubesse que aprenderia tanto assim eu já teria pedido para descer outras vezes – diz Marques, emocionado.

– É, Marques, a convivência com esses que são na verdade os primeiros a enfrentar as desigualdades espirituais, nos faz conhecer ainda mais o amor – diz Felipe.

– E é por amor, meninos, que nós, índios e índias, estamos há milhares de anos trabalhando na construção do espiritismo verdadeiro, aquele em que o amor é a chama acesa dentro dos corações dos operários da última hora, os operários da caridade.

– Obrigado, Jurema, por suas palavras – diz Felipe.

– Sim, obrigado, senhora, por seus ensinamentos – diz Marques.

– Agora vocês podem ir, e aproveitem sua estada em nossa humilde aldeia – diz Jurema.

– Obrigado, senhora – diz Marques.

Nina e Lucas se aproximam do grupo.

– Olhem! Nina parece uma criança indígena com a cara toda pintada – diz Lucas, aproximando-se.

– Olá, Jurema! – diz Lucas.

– Olá, jovem iluminado! – responde a velha índia pitando seu cachimbo.

– Se a senhora me dá licença, vou procurar por Sheila – diz Marques.

– Pode ir, meu filho. Ela está na grande oca auxiliando as outras índias na preparação da comida; afinal, já está quase escurecendo e todos precisam se alimentar para descansar.

Marques se afasta e faz um sinal para Felipe, chamando-o para longe da velha senhora.

– Com licença, Jurema, vou acompanhar Marques – diz Felipe.

– Vá, meu filho, vá.

Felipe atende ao chamado de Marques e se distancia de todos.

– Felipe, me perdoe, mas comer? Como assim?

– Felipe sorri e tenta se conter para responder a Marques.

– O que falei de engraçado? Eu só perguntei, porque eles aqui comem! Só isso!

– Desculpe, Marques. Mas esse, embora seja um lugar extremamente lindo, é um lugar denso, onde esse tipo de costume ainda é necessário para o equilíbrio entre os menos iluminados e os mais iluminados. É como a água que temos em nossa colônia; todos sabemos que é desnecessária, porém nós ainda a utilizamos.

– Agora entendi. E nós teremos que comer? – pergunta Marques, assustado.

– Se você não quiser, não tem problema – diz Felipe.

– Ah obrigado, Deus me livre comer...

Risos...

– Venha, vamos procurar Sheila.

– Vamos – diz Marques.

Sheila está na oca central, auxiliando fluidicamente as índias mais velhas a prepararem o jantar de toda a aldeia. Existem nessa aldeia aproximadamente cento e setenta índios, a maioria remanescente da última encarnação do Caboclo Ventania.

– Sheila, olha quem está procurando você – diz Lua Vermelha.

– Aproxime-se, Marques, venha me ajudar.

– Posso?

— Sim, claro, venha!

Sheila e mais oito índias estão preparando uma sopa especial, feita de caldo de mandioca com pedaços de ervas e raízes. Marques pega uma grande colher de madeira feita à mão e começa a mexer junto com Sheila o grande caldeirão colocado estrategicamente sobre uma pequena fogueira.

Ventania se aproxima trazendo nas mãos uma sacola azul, feita de tecido que as índias tecem ali mesmo na aldeia.

— Marques, tome! — diz o Índio.

— O que é isso? — pergunta Marques, recebendo a sacola em suas mãos.

— Isso é o que minha mãe, Jurema, pediu para lhe entregar.

— Ah sim, ela tinha me falado alguma coisa a respeito — diz Marques, guardando a sacola.

— Sim, isso é uma ajuda que Daniel pediu a ela para lhe dar — diz Felipe.

— Obrigado, amigo Índio — diz Marques.

— Guarde-a com cuidado — adverte o Índio.

— Sim, amigo, pode deixar.

O Índio deixa a oca principal. Marques prende à sua cintura a sacola azul, curioso para saber seu conteúdo. Mas sabe que aquele não é o lugar apropriado para abrir e olhar.

A noite chega, e todos se reúnem na grande oca para comer. O ritual da comilança é admirado pelos iluminados presentes. Todos os índios se ajoelham e agradecem a Deus o alimento ofertado naquele dia.

Rodrigo ainda não apareceu, o que desperta em Nina uma desconfiança.

– Felipe, você sabe do Rodrigo?

– Não, Nina. Desde cedo ele sumiu com o Índio e ainda não voltou.

– O que será que está acontecendo?

– Não faço ideia, Nina. Você está preocupada?

– Sim, afinal ele é o líder de nossa expedição.

– Fique calma. Ele deve estar resolvendo alguma coisa importante.

– É, eu sei, mas ele sumiu com o Índio desde cedo.

– Depois de jantarmos, vou perguntar a Jurema sobre eles. Embora o Índio tenha vindo aqui à tarde e dado uma sacola para o Marques.

– Ele veio aqui sem o Rodrigo?

– Sim, veio sozinho com a sacola nas mãos e entregou-a ao Marques; olhe, ele a pendurou na cintura.

– O Marques está se achando, não acha?

– Sim, ele é muito curioso, mas aqui pelo menos a ansiedade está de lado.

– Verdade, nem tinha reparado nisso – diz Nina.

– Pois é, eu reparei. Ele aqui está bem calmo.

– Parece que Daniel tinha mesmo razão.

– Daniel sempre tem razão, Nina – diz Felipe.

– Obrigado, Felipe, você sempre me ensinando – diz Nina.

– Agora aproveite para lembrar-se do alimento.

– Eu acho maravilhoso esse momento – diz Nina.

– É verdade, viver na espiritualidade é o máximo, mas participar desses encontros gastronômicos que nos remetem às encarnações anteriores, ah isso é demais! – diz Felipe.

– Verdade, Felipe, vamos aproveitar.

Marques fica observando tudo, muito assustado.

– Perdoem-me, mas não estou entendendo nada – diz Marques.

Risos.

– Estamos brincando com você, Marques, é só uma brincadeira – diz Nina.

– Ah! Por que comer? Achei isso muito estranho – diz Marques.

– É realmente muito estranho, mas para esses que vivem aqui ainda é necessário – diz Nina.

– Sim, até consigo entender que eles precisam desses alimentos para se manterem instáveis aqui.

– É isso mesmo, Marques, é necessário a eles ainda alimentar-se.

– Tudo bem, sem problemas – diz Marques, conformado.

– Olhem, o Rodrigo está chegando.

Rodrigo caminha ao lado do Índio.

– Boa-noite, gente!

– Boa-noite, Rodrigo! O que faremos agora? – pergunta Felipe.

– Agora descansem, pois amanhã bem cedo iremos para o Umbral.

– Está bem – diz Nina.

– Venham, fiquem naquela oca ali – aponta o Índio com o indicador uma oca que fica um pouco distante do local onde eles estão.

– Fiquem lá, pois é mais sossegado – diz Lua Vermelha, que se aproxima trazendo em seus braços várias cobertas e redes.

– Obrigado, Lua Vermelha, por sua atenção e carinho.

– De nada, Nina, você quer vir comigo para me ajudar a preparar o ambiente?

– Sim, com prazer.

Nina e Lua Vermelha se dirigem ao local escolhido para o descanso de todos. Felipe fica observando a cena e comenta com o Índio.

– E você, amigo Índio, conseguiu se ajeitar com sua amada Lua Vermelha?

– Sim, Felipe, após tantos anos de distanciamento, finalmente estamos juntos seguindo nossa evolução.

– Que bom, amigo! Ficamos muito felizes com essa notícia – diz Rodrigo.

– É, confesso que viver sem ela durante o tempo em que vivi não foi fácil, mas isso passou e agora estamos juntos pela eternidade – diz o Índio esbanjando um sorriso.

– Muito bom, Índio; muito bom – diz Rodrigo.

– Bom, senhores, a conversa está boa, mas preciso descansar e me organizar para o dia de amanhã – diz Rodrigo, despedindo-se de todos.

– Posso ir com você? – pergunta Marques.

– Claro, amigo; venha, vamos descansar. Boa-noite, senhores!

– Boa-noite, Rodrigo!

Assim, Rodrigo e Marques são os primeiros a se deitarem e descansarem, preparando-se para o dia seguinte. Logo, todos estão reunidos na oca cedida pelos índios para o refazimento dos enviados de Amor & Caridade.

"Não queiras padecer no Umbral. Expurgue os maus sentimentos hoje; isso, vai te evitar muita dor e um doloroso sofrimento."

Nina Brestonini

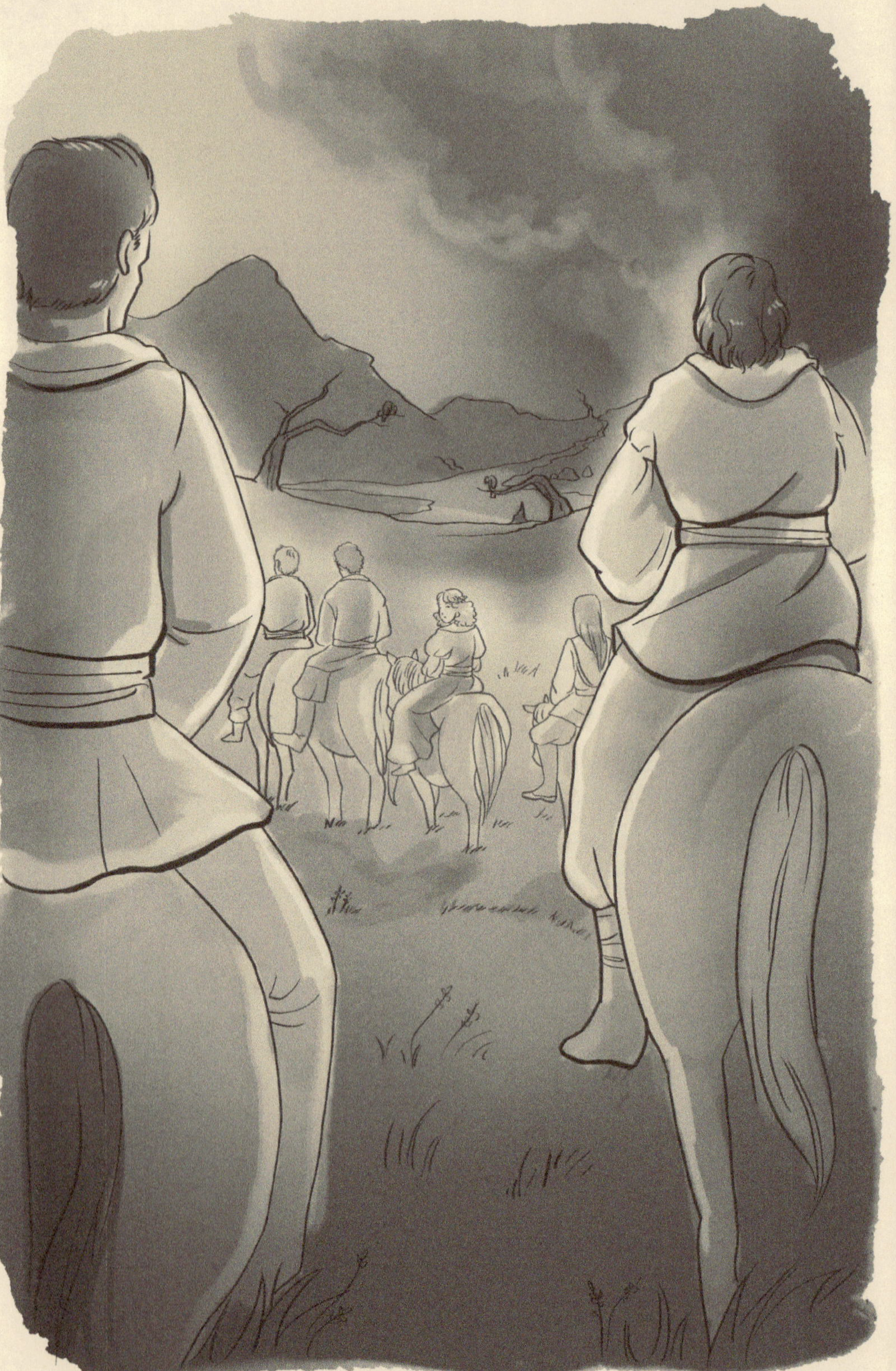

O UMBRAL

O céu está negro, o que assusta os ilustres visitantes do Umbral.

— Olhem, estamos chegando – diz o Índio.

— Nossa, como é feio esse lugar, como fede! – diz Nina.

— Esse é o pior lugar que um ser pode visitar – diz Felipe.

— Imagine ficar nele – diz Lucas.

— É por isso que eu sempre disse, trabalhe hoje para o seu dia seguinte. Prepare sempre para a vida futura – diz Rodrigo.

— Verdade, amigo. Se todos compreendessem que Ele é eterno e que o amor dEle se estende sobre toda a criação, tudo seria mais fácil para todos – diz o Índio.

— Sábias palavras, amigo Índio – diz Sheila.

— Fiquem de olho no Marques, afinal ele nunca veio a este lugar – ordena Rodrigo.

— Pode deixar, Rodrigo, estou calmo, embora assustado – diz Marques.

— Sim, meu amigo, mas daqui a pouco as coisas vão ficar ainda mais esquisitas por aqui – diz o Negro.

— Vou então ficar perto do senhor, se me permite — diz Marques.

— Sim, ande a meu lado — diz o Negro, permitindo a aproximação de Marques.

O grupo se aproxima do portal de entrada do Umbral. O lugar é fedido, escuro, há muito pouca vegetação e é lamacento. O céu do Umbral é escuro, o sol tenta se mostrar entre as densas e negras nuvens que são muito baixas, tornando o lugar com uma névoa negra constante. Podem se ver espíritos perturbados, sem rostos e maltrapilhos andando de um lado para outro sem compreenderem seus estados. Na pouca vegetação que existe, há espíritos sentados ou mesmo escondidos com medo de si mesmos.

A caravana segue lentamente, todos têm nas mãos um cajado que serve de guia para que possam apalpar o solo em que estão caminhando. O frio é intenso, e todos usam um sobretudo fornecido pelo Negro. Nina, Sheila e Felipe cobrem a cabeça com o capuz da roupa especialmente preparada para que eles passem despercebidos entre tantos espíritos de baixa vibração.

— Rodrigo, posso lhe perguntar uma coisa? — diz Marques se aproximando do amigo.

— Sim, Marques.

— Esses espíritos, por acaso, não são zumbis? Eu nunca pensei que isso pudesse existir.

— Parecem zumbis, Marques, mas não são — diz Rodrigo.

— Por que eles andam assim com dificuldade e os olhos arregalados, como se não compreendessem o que estão fazendo?

– Esse é o estado de perturbação, muito comum nesta região – diz Ernani se aproximando.

– Mas por que eles estão assim?

– São assassinos, homicidas, drogados, suicidas... Por isso eles estão assim – diz Rodrigo.

– Isso é um castigo?

– Não, Marques, Deus não castiga Seus filhos.

– Então, o que é isso?

– Isso é o estado vibracional do espírito. Eles ficam assim porque ainda não retornaram à sua razão de ser eterno. Ficam vagando entre o consciente e o inconsciente. É um estado que a mente provoca.

– Mas qual o objetivo de ficarem assim perturbados? – pergunta Lucas aproximando-se.

– Esse é um estado mental do próprio ser espiritual. Isso é o resultado de muitos pecados, de viverem durante muitas encarnações fazendo o mal e desviando-se das coisas nobres do espírito. Eles provocam esse estado. Fazem isso, primeiramente, pelo medo de encarar a realidade à sua frente, conscientizar-se de que agora já não há mais tempo para a recuperação, daí provocam essa desorientação mental projetando a letargia para escaparem do sofrimento. Em segundo lugar, é um estado de abstinência da vida. É como abstinência da droga. Daí eles ficam assim penando aqui nessas regiões.

– E não há escapatória para isso? – pergunta Marques.

– Esses espíritos, na verdade, já estão sendo preparados para o expurgo deste orbe terreno. Para esses já não há mais escapatória.

— Entendi. E quando será que serão levados daqui?

— Acredito que em breve, Marques, afinal começa agora o período de Regeneração.

— É, amigos, agora eu entendo que isso é necessário, e que chegou o momento, e para isso estamos aqui – diz Marques.

— Sim, é isso mesmo, mas esses não são os que nós iremos auxiliar neste período de reforma – diz Rodrigo.

— E você sabe quais, e quantos são os que iremos buscar?

— Sim, eu e o Índio recebemos de Daniel uma relação com os nomes e os lugares onde estes espíritos estão.

— Que bom! Então não iremos perder muito tempo para realizar nossa tarefa – diz Marques.

— O tempo para fazer isso é um tempo razoável. Acho que conseguiremos cumprir com tranquilidade – diz Rodrigo.

— Rodrigo, posso lhe perguntar uma coisa? – pergunta Nina, se aproximando.

— Claro, Nina, pode perguntar.

— Esse período em que estaremos sobre a Terra, auxiliando no expurgo desses que não mais ficarão aqui...

— Sim.

— ... corresponde a quanto tempo da Terra, se é que você me entende?

— Entendo sim, o que você quer saber – diz Rodrigo.

– O planeta Terra já está em Regeneração, e nós teremos aproximadamente quarenta anos para realizar a tarefa.

– Nossa, é bastante tempo! – diz Felipe.

– Sim, é o tempo suficiente – diz o Índio fazendo um sinal com as mãos para que todos parem.

– O que foi, Índio? – pergunta Rodrigo.

– Está se aproximando um grupo de espíritos, vamos nos afastar da estrada e esperar que passem. Venham, escondam-se aqui – o Índio indica uma pequena gruta à esquerda da estrada.

Todos se escondem atrás de uns troncos de árvore caídos em meio a galhos e folhagens envelhecidos na entrada da gruta.

Todos assistem a uma caravana de aproximadamente cinquenta espíritos passarem por eles montados em cavalos.

O silêncio é precioso nesse momento. Após a caravana passar, o Índio se levanta e faz um sinal para todos voltarem ao caminho.

– Quem eram eles? – pergunta Marques.

– São como nós, e estão em missão aqui no Umbral – responde o Índio.

– Então por que nos escondemos deles?

– Não viemos aqui para encontros, temos um objetivo, que é próprio de nossa colônia – diz o Negro, um pouco irritado.

– Desculpe, eu não queria criar problema – diz Marques.

– Não é isso, Marques, o Negro apenas quer nos proteger, só isso – diz Rodrigo.

– Vamos, senhores, já estamos próximos do nosso primeiro local de contato.

– Vamos – diz Rodrigo, fazendo um sinal com o braço direito sinalizando para todos seguirem em frente.

Nina se aproxima de Rodrigo e acelera o passo, puxando o amigo pelo braço.

– O que houve, Nina?

– Preciso conversar um coisa com você, Rodrigo, e não quero que ninguém ouça.

– Mas o que houve?

– Venha! – Nina puxa Rodrigo, adiantando-se à frente do grupo.

– Você não acha estranho o Daniel mandar o Marques descer conosco nessa missão, Rodrigo?

– Não, não acho – diz Rodrigo.

– Como não, meu amigo? Preste atenção: Marques é e sempre foi o fiel escudeiro de Daniel. Marques, há algumas centenas de anos, é o responsável por todas as coisas de Daniel, e de repente Daniel permite que ele venha em uma missão de expurgo de espíritos, coisa que ele nunca fez, que nunca participou. Você não acha isso muito estranho?

– Nina, vocês, meninas, têm sensibilidades que nós, meninos, realmente não percebemos. Se olharmos por este lado, você tem razão. Realmente é muito estranho o Marques estar conosco aqui.

– Olhe você mesmo. Olhe para ele. Ele anda curvado, como se

quisesse se esconder de todos, parece que está com muito medo. Veja que sua aura de luz está tensa e quase se apagando com medo desse lugar.

– Verdade, Nina, vou ficar mais próximo dele para auxiliá-lo – diz Rodrigo.

– Mas Rodrigo, você não respondeu minha pergunta. Você não acha estranho? – insiste Nina.

– Nina, tudo o que Daniel faz tem um objetivo, e sinceramente começo a achar que o fato de ele ter mandado Marques conosco tem um objetivo.

– Puxa vida, ainda bem que você concordou comigo – diz Nina, aliviada.

– Mas Nina, preste bem atenção: se o Daniel tinha alguma coisa em mente, ele não me falou nada. Se algo vai acontecer ao Marques, certamente é algo que ele precisa para evoluir ainda mais. Você sabe que para que alcancemos nossa evolução espiritual é necessário o trabalho. Não que o Marques não trabalhe, mas o que ele faz hoje em Amor & Caridade é muito simples, e isso faz com que ele evolua mais lentamente. E além disso, o Candidiano vem ajudando-o há bastante tempo e acho mesmo que já está na hora de o Candidiano ser promovido, você não acha?

– Verdade, Rodrigo – diz Nina.

– Se Daniel planejou alguma coisa que vai auxiliar na evolução de Marques aqui embaixo, isso eu juro a você que não sei.

– Mas você não acha estranho? – insiste Nina.

– Sim, pensando com você, isso é muito estranho mesmo.

– Pois vou lhe dizer!

– Diga, Nina.

– Tem alguma coisa armada por Daniel nessa missão, relacionada a Marques.

– Será?! – diz Rodrigo.

– Minha intuição feminina não falha, Rodrigo, você vai ver.

– Espero que não seja nada dolorido para ele. Isso ele não merece – diz Rodrigo, preocupado.

– Vai saber o que Daniel armou para ele! – diz Nina.

– É verdade, vai saber!

– Não comente isso com ninguém, Nina, por favor! – diz Rodrigo.

– A Sheila e o Ernani estão com o mesmo sentimento, afinal os dois já foram vítimas das armadilhas evolutivas de Daniel – diz Nina.

– É, mas vamos manter isso em segredo – pede Rodrigo.

– Pode deixar, meu amigo, pode deixar – diz Nina.

– Venha, Nina, vamos nos juntar ao grupo – diz Rodrigo.

– Vamos sim – diz Nina, acelerando o passo.

Após caminharem por horas, finalmente chegam a um vale de aproximadamente dois quilômetros, onde um grupo de uns sessenta índios os aguardam. Ventania e o Negro saúdam os amigos.

– Olá, amigos – diz Ventania.

– Olá, amigo, estamos prontos para servir a Amor & Caridade – diz o índio que está à frente do grupo e que parece ser o líder deles.

– Agradeço seus serviços em prol de nossa colônia – diz Rodrigo, aproximando-se.

– Rodrigo, nós é que agradecemos a oportunidade evolutiva que Daniel está nos proporcionando.

– Sim, isso é verdade – diz Ventania.

– Vocês já prepararam o ambiente? – pergunta Rodrigo.

– Sim, já está tudo pronto. Só falta você aprovar para terminarmos as muralhas.

– Pessoal, descansem enquanto vou com Cauiré verificar toda a área preparada por nossos amigos para atender nossas necessidades.

– Vá, Rodrigo, vamos descansar – diz Nina sentando-se num pequeno barranco à sua direita. – Venha, Felipe, sente-se aqui – diz Nina.

Todos se sentam e descansam enquanto Rodrigo, Ventania e o Negro seguem juntos com Cauiré para verificarem o lugar que será usado para a prisão dos espíritos que serão trazidos por eles.

– Parabéns, Cauiré, o lugar está perfeito! – diz Rodrigo.

– Obrigado, amigo. Veja que criamos esses bambuzais fluídicos que se parecem com uma cerca viva, porém negra. Nós não conseguimos tornar o bambuzal verde – diz Cauiré.

– Vocês sempre foram guerreiros, e apesar de suas evoluções adiantadas, fazer brotar alguma coisa verde aqui no Umbral é impossível – diz Rodrigo.

– Verdade – diz o Negro.

– Mas de qualquer forma, essa cerca irá impedir que os prisioneiros saiam desse limite imposto por nós.

– É, e além disso, meus amigos guerreiros que estão conosco nessa missão ficarão de guarda vigiando para que ninguém saia desse perímetro.

– Perfeito! – diz Rodrigo.

– Agora precisamos definir quantos irão conosco e por onde vamos começar os trabalhos – diz o Índio.

– Vamos voltar para onde estão todos e lá deliberamos sobre esse assunto – diz Rodrigo.

– Então vamos – diz Cauiré.

Cauiré Imana é um cacique guerreiro muito respeitado entre os índios desencarnados que auxiliam na preservação da ordem no Umbral. Lutou ao lado do Caboclo Ventania e hoje, juntos, resgatam suas dívidas do passado servindo à Colônia Espiritual Amor & Caridade, compreendendo assim a lei de causa e efeito.

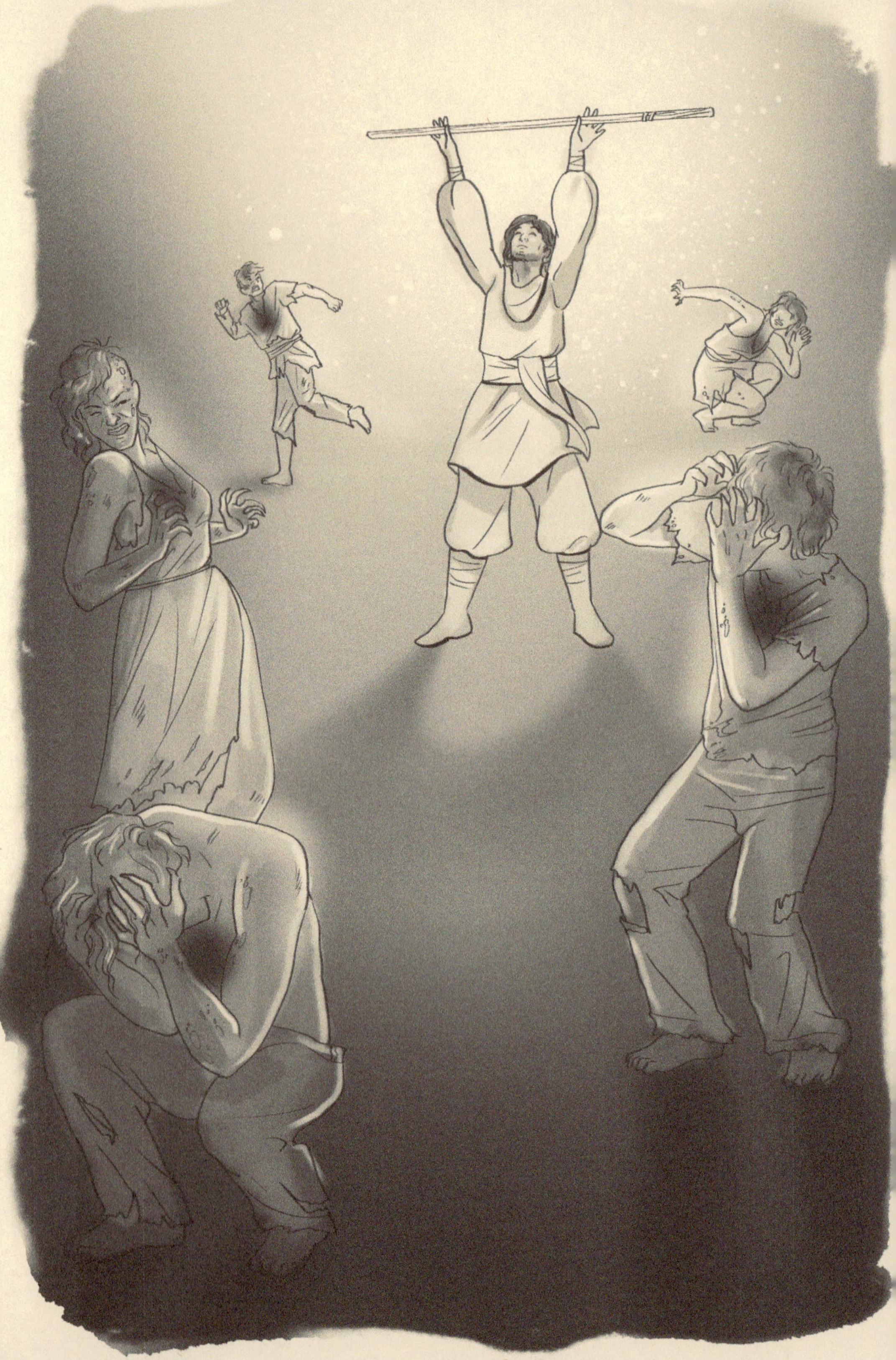

A PRIMEIRA MISSÃO

Rodrigo se aproxima do grupo, que está sentado descansando, enquanto aguarda suas ordens.

– E aí, Rodrigo, está tudo pronto? – pergunta Nina.

– Sim, está tudo conforme necessitamos. Agora precisamos deliberar sobre por onde começamos nossa tarefa.

– Como assim? – pergunta Marques.

– Nós já temos os locais onde faremos o recolhimento dos que serão exilados, só precisamos definir por onde começamos.

– Entendi – diz Marques.

– O que você sugere? – pergunta Felipe.

– Sinceramente, eu não gostaria de definir isso sozinho, embora Daniel tenha me incumbido da liderança do grupo – diz Rodrigo.

– Rodrigo, estamos a seu lado, o que você decidir, faremos – diz Lucas.

– Eu sei disso, Lucas. Bom, senhores, vamos sentar todos e verificar qual o melhor lugar para começarmos.

Todos se sentam formando um círculo. Os demais índios do local ficam em volta observando enquanto Rodrigo cria no centro do local uma tela fluídica, na qual projeta imagens e aparecem os locais de maior concentração de espíritos malignos, onde eles terão que entrar e cumprir as determinações dos iluminados.

– Vejam, esses são os sete locais onde começaremos nosso trabalho.

– Que lugar é esse, Rodrigo? – pergunta Nina, assustada com a quantidade de espíritos marcados para o resgate.

– Isso é uma igreja.

– Meu Deus, que isso!? – diz Felipe, assustado.

– Nessas igrejas existe uma grande concentração desses espíritos – diz Rodrigo.

– Por que isso está acontecendo com eles, Rodrigo? – pergunta Ernani.

– Isso, na verdade, é o despreparo e o desconhecimento da lei eterna. Esses espíritos já sabem que não terão mais a oportunidade de resgatarem suas faltas, daí ficam dentro das igrejas achando que tudo aquilo que ouviram a respeito de salvação está ali.

– Nossa, que ilusão! – diz Marques.

– Sim, Marques, infelizmente é isso. Esses não se preocuparam em conhecer as coisas de Deus, nunca estudaram as Palavras de Jesus, foram enganados e ludibriados por pastores e enganadores da fé. Esse era o sinal do fim dos tempos, e as pessoas simplesmente ignoraram as informações que nós, espíritos, cansamos de passar. E Ele também alertou a todos quando os avisou dos falsos profetas, lembra?

– Sim, claro que lembro – diz Ernani.

– Verdade, Rodrigo – diz Sheila.

— Rodrigo, vejo que alguns têm uma marca na testa e outros, não. O que isso significa? – pergunta Lucas.

— Aqueles que estão marcados são os que nós teremos que recolher – diz Rodrigo.

— Ah, entendi. E os que não têm marcas? – pergunta Ernani.

— Os que não têm marca, provavelmente ficarão para ser resgatados por outros espíritos ou serão encaminhados para a reencarnação.

— Perdoe-me a ignorância, Rodrigo, mas olhe, têm encarnados com a marca... O que faremos com esses?

— Teremos que acompanhá-los, e assim que desencarnarem nós os trazemos para cá.

— Não vão nem passar pelas colônias de refazimento? – pergunta Nina.

— Não, Nina, esses já foram selecionados para o exílio.

— Que tristeza! Veja como eles desfrutam das coisas sem ao menos perceber suas falhas, seus erros – diz Nina.

— Pode ter certeza, Nina, que dentro de seus corações a palavra divina está ativa, alertando-os para as faltas e lhes cobrando uma atitude de coragem e fé para mudar tudo – diz Rodrigo.

— Eu sempre ouço essa voz que fala em meu coração – diz Ernani.

— Esse é o caminho, Ernani, Deus fala no coração de todos os seus filhos – diz Rodrigo.

— Verdade – diz o Índio.

— Bom, são várias as igrejas às quais teremos que ir, vamos começar – diz Nina.

— Espere um pouco, vou mostrar-lhes os outros seis lugares – diz Rodrigo. – Daí poderemos escolher por onde começar.

A tela de projeção se expande, e as imagens, agora mais nítidas, começam a aparecer.

— Este é o primeiro dos locais que teremos que visitar.

Aparecem diversas igrejas.

— Agora olhem o segundo.

Aparecem presídios. O terceiro, hospitais psiquiátricos; o quarto, clínicas de recuperação de drogados; o quinto lugar, seitas religiosas; e o sexto lugar, centros espíritas.

— Rodrigo, me perdoe, mas você pode nos explicar isso melhor? – pergunta Nina.

— O que você quer saber, Nina? – diz Rodrigo.

— Por que são esses os lugares onde se concentram tantos espíritos malignos?

— Bom, Nina, sobre as igrejas eu já falei, não é?

— Sim, sobre as igrejas já entendemos que esses espíritos estão lá porque ainda acreditam nesse tipo de salvação. Eles acham ainda que aquele ensinamento do arrebatamento é verdadeiro e que o paraíso prometido está ali os esperando.

— Sim, isso vocês já entenderam. Vou lhes explicar os outros seis lugares – diz Rodrigo, pacientemente.

— Prestem atenção: o segundo lugar são os presídios. Muitos dos espíritos que morrem nesses lugares acham que ainda estão vivos lá e querem, de toda forma, continuarem a perturbar quem os matou, buscando a todo custo a vingança antes do final dos tempos. Outros vêm de fora para atormentar o encarnado que cumpre pena pelo seu assassinato. Todos sabem que o perdão é o que liberta a alma para a evolução. Quando você não perdoa, torna-se escravo de sua própria desilusão. Lembrem-se de que nossa missão é exilar os espíritos que têm consciência de que não terão mais as oportunidades e estão tentando a todo custo impedir a regeneração.

– Sabemos disso, Rodrigo – diz Nina.

– Bom, os hospitais psiquiátricos concentram grande parte de espíritos que estão vagando por séculos e séculos sobre a Terra esperando por esse dia, o dia da libertação, o dia em que serão finalmente libertos do sofrimento.

– Que horror! – diz Sheila.

– Verdade – diz Marques.

– Por que isso acontece, Rodrigo? – pergunta Ernani.

– Isso acontece porque tudo de Deus é cíclico, e sendo assim muitos já estão há bastante tempo esperando que o tempo se cumpra, que a palavra se cumpra, assim como Ele falou.

– Simplesmente porque perderam o compasso. É isso, Rodrigo? – pergunta Lucas.

– Sim, eles se perderam no tempo; daí ficaram assim, vagando no nada à espera da misericórdia divina. E é isso que começa a acontecer agora. Uns vão achar que Deus está punindo seus filhos quando os exila para outro orbe, mas não é nada disso. Ele simplesmente está oportunizando aqueles que não desejaram seguir em frente. Em resumo, arrumando a casa.

– Verdade, Rodrigo, Deus é tão maravilhoso, tem sido tão maravilhoso comigo, que não tenho nada a reclamar, só agradeço todas as oportunidades que tive e tenho para evoluir – diz Nina, emocionada.

– Podemos prosseguir? – pergunta Rodrigo.

– Sim, claro, perdoe-nos – diz Lucas.

– As clínicas de recuperação de drogados são lugares onde se concentram os espíritos que não conseguem se libertar do vício, mesmo que desencarnados. Acontece que eles agora têm a consciência do fim dos tempos e querem se recuperar do vício, daí lotam as clínicas de recuperação, na tentativa de serem livres para seguir para a evolução.

– Isso posso compreender só de ver quantos estão na porta desses lugares – diz Nina.

– É isso, Nina. Eles agora querem se libertar do vício, e acham que ainda podem ser curados por meio das terapias aplicadas aos encarnados, daí ficam tumultuando a vida de quem quer ajudar.

– Vamos tirá-los logo de lá para que esses trabalhadores do bem consigam êxito – diz Sheila.

– Breve nós estaremos lá – diz Rodrigo.

– Posso prosseguir? – pergunta Rodrigo.

– Claro, vamos lá – diz Nina.

– As seitas religiosas... Esses lugares têm uma grande concentração de espíritos que acham que tudo é uma mágica, eles acham que por meio de rituais e feitiços conseguirão ser libertos. Viveram durante vários séculos fazendo a mesma coisa e ainda assim, não apenderam.

– Nossa, ledo engano! – diz Marques.

– Sim, Marques, estão enganados – diz Nina.

– Chegamos, enfim, aos centros espíritas. Esses serão os lugares de nosso maior trabalho, acredito eu – diz Rodrigo.

– Por que, Rodrigo?

– É a única porta ainda aberta para a redenção, e para a salvação. Muitos espíritos estão agora desesperados e querem, a todo custo, entrar e participar dessa que é a real salvação.

– Olha, Nina, há milhares, centenas deles nas portas das casas espíritas – diz Lucas.

– Estou vendo, mas... estranho! A maioria está marcada para o resgate. Por que está acontecendo isso nas casas espíritas, Rodrigo?

– O que vocês estão vendo é a concretização dos piores sentimentos que as almas podem experimentar. O que vemos é o orgulho, a vaidade, a ignorância, a inveja; enfim, o que vocês estão vendo é uma das maiores tristezas que nós, espíritos evoluídos, poderíamos experimentar. O que vemos é uma falange do mal tentando impedir que a obra de Deus se complete. Esses são os reais inimigos do bem. São espíritos que não desejam que a evolução da humanidade se complete. Eles ficam nas portas dos centros espíritas obsidiando dirigentes, obreiros, voluntários, tarefeiros e médiuns. Eles insistem em intuir todos os operários a desistirem da obra libertadora. Introduzem a discórdia, a inveja, a fofoca e disseminam a discórdia dentro dessas casas de luz, para que a obra do bem deixe de existir, e assim eles se vingam daqueles que não querem que evoluam.

– Nossa, que tristeza! – diz Nina com os olhos lacrimejados.

Felipe começa a chorar e é consolado por Lucas.

– Ainda é impressionante como os seres encarnados e desencarnados insistem em empreender todas as suas forças, seus desejos e suas energias nas coisas materiais. Os homens pegaram as palavras sagradas e as direcionaram para enriquecimento ilícito, provocando assim muita desgraça, muita desunião, muitos dissabores e, por fim, muitas mortes. O poder sempre foi a mola desmoralizadora da alma. O enriquecimento material, colocado acima de todos os bens espirituais, trouxe essa massa destrutiva espiritual sobre as coisas boas de Deus.

Mas Ele, que a todos ama, oportuniza com sabedoria toda a sua criação.

Assim, tudo que morre aqui, renasce ali para iniciar-se em uma nova transformação. As oportunidades são infindas; utilize-as para subir, não para subir na vida, mas para subir na ordem espiritual impregnada em toda alma, filha de Deus.

– Nossa, Rodrigo, que lindo! – diz Nina aos prantos.

– Sim, Nina, aproveitemos esta oportunidade que Ele nos deu agora, para auxiliarmos todos a seguir em Sua direção.

– Vamos, amigos! – clama Rodrigo.

– Vamos, Rodrigo, vamos em frente com muito amor em nossos corações – diz Felipe, ficando de pé e homenageando a todos.

Todos se abraçam e se comprazem com os ensinamentos do jovem cigano Rodrigo.

– Logo cedo partiremos para as igrejas, a fim de começarmos o expurgo – diz Rodrigo.

– Sim, vamos descansar e providenciar os últimos detalhes desse que será o local onde manteremos os espíritos aprisionados até chegar o dia derradeiro.

– Faremos assim – diz o Índio.

Todos trabalham acertando os últimos detalhes do acampamento fluídico dentro do Umbral.

"Onde dois ou mais estiverem reunidos em meu nome, eu estarei entre vós."

Mateus 18:20

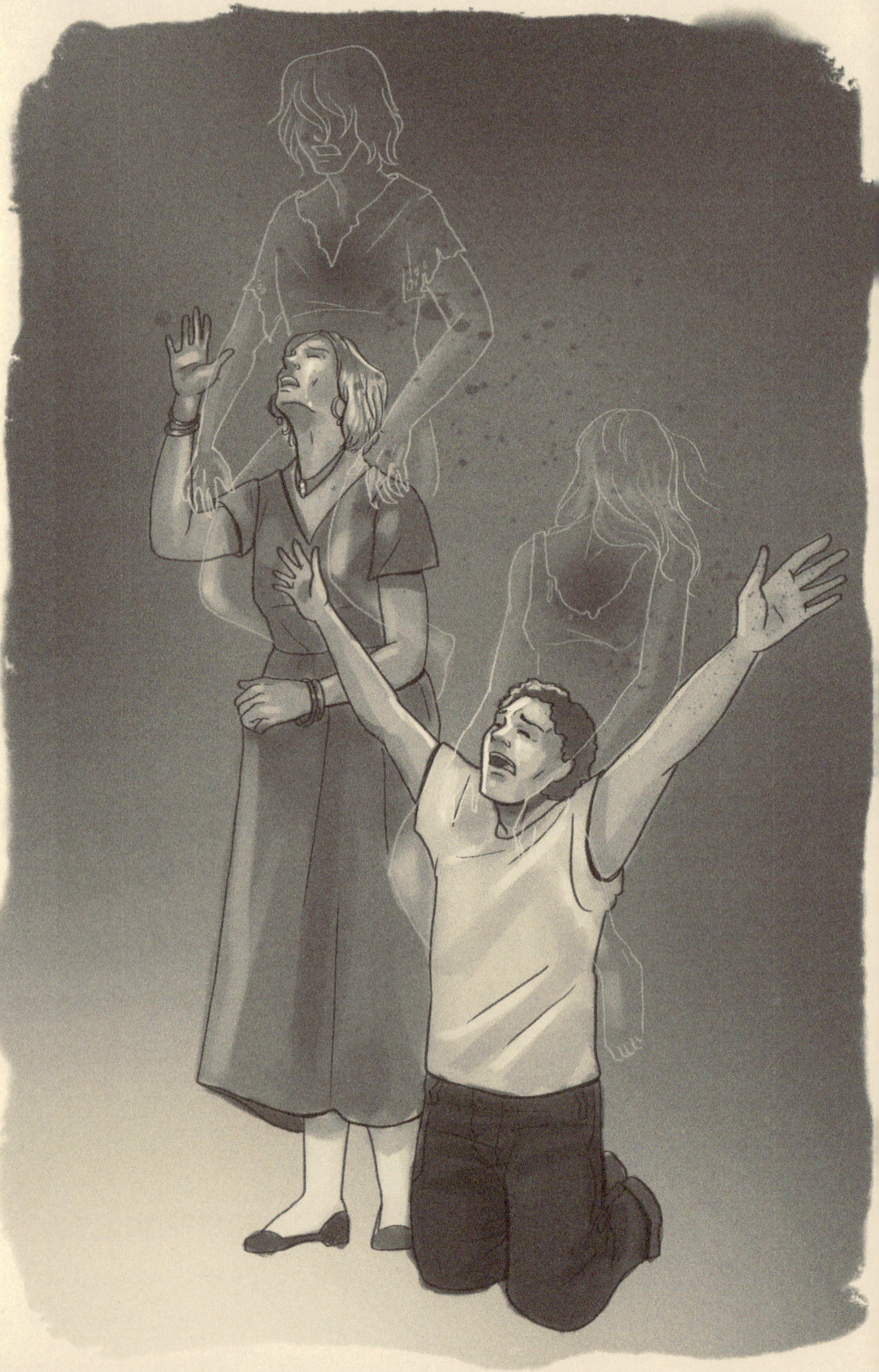

AS IGREJAS

A falange do bem chega a uma igreja repleta de espíritos que estão sentados sobre os encarnados, provocando euforia e êxtase sentindo-se como possuídos pelo espírito de Deus. A perturbação é grande, a música alta leva os encarnados a um transe mediúnico por meio do qual eles se sentem possuídos.

– Olhe, Nina, como está esse lugar! – diz Rodrigo.

– Nossa, que horror! Parece uma festa e não um lugar de orações.

– É isso o que eles estão provocando, Nina. É assim que a falange do mal está se estabelecendo e destruindo os mais nobres ensinamentos da Palavra de Deus.

– O que faremos? – pergunta Lucas, aproximando-se.

– Vamos esperar os índios cercarem o lugar, aí entraremos e começaremos e exilar esses irmãos.

– Sim, vamos esperar – diz Felipe.

A falange de índios cerca o lugar para evitar uma fuga em massa daqueles que precisam ser resgatados. O lugar já está seguro para a entrada dos iluminados.

Rodrigo entra na frente de todos, empunhando o cajado que está aceso em suas mãos. O desespero é grande. Os malfeitores pressentem a presença dos iluminados e a correria começa.

Cercados e acuados, cerca de setenta espíritos são transferidos para o Umbral após Rodrigo levantar o cajado e declarar que todos serão recolhidos.

Gritos, lamentos e muito choro. Alguns espíritos ainda tentam se agarrar a seus afetivos ligados a eles que estão frequentando a igreja. Mas o poder do cajado é maior, e após algum tempo de luta todos são exilados para o Umbral.

Nina e Felipe estão próximos à porta de entrada do templo onde aproximadamente cento e cinquenta pessoas estão reunidas. Sem saber o que ao certo está acontecendo, o dirigente dos trabalhos começa a balbuciar palavras que conseguem fazer com que todos os frequentadores sintam-se em paz.

Lucas é o espírito que está intuindo o dirigente.

– Meus queridos irmãos, minhas queridas irmãs, sinto em meu peito uma paz indescritível, algo que realmente nunca havia sentido até este momento em que Deus toca meus mais nobres sentimentos. Peço ao criador de todas as coisas que perdoe nossos pecados e que nos mantenha unidos nos tempos da transformação moral, tão necessária a todos nós, irmãos em Cristo. É chegada a hora da redenção, meus queridos irmãos. É chegado o dia em que Deus, em sua infinita misericórdia, entrará pelas portas de nossas casas e lá Ele fará acontecer o grande milagre da vida. Ele nos abençoará e nos permitirá sermos os servos da última hora. Bendito seja o Senhor de Moisés.

Todos os crentes entram em euforia, a palavra toca o coração de todos os presentes.

Lucas continua a intuir o pregador:

– É chegado o momento em que nós, filhos do Deus único, devemos nos reunir em amor e oração pela humanidade. É chegado o momento em que cada prece, cada oração, cada louvor deve ser dirigido aos espíritos iluminados que administram o universo criado pelo Deus único, o Deus de Jacó.

A igreja está linda e limpa das impurezas espirituais. Rodrigo assiste a tudo sentado em um dos degraus da sacristia. Nina e Felipe, acompanhados de Marques, Lucas, Ernani e Sheila dão passes nos doentes que enfileiram a assistência da igreja.

Rodrigo fica de pé e chama pelos iluminados.

– Amigos, vamos para outra igreja continuar nossa missão.

– Vamos sim – diz Nina.

– Já podemos ir, Rodrigo? – pergunta Marques.

– Sim, meu amigo, já podemos ir.

– Não vamos esperar pelos índios? – pergunta Lucas.

– Eles vão se encontrar conosco na próxima igreja – diz Rodrigo.

– Então vamos – diz Ernani.

Assim Rodrigo e seus amigos passam o resto do dia limpando igrejas na cidade de São Paulo, no Brasil. E em cada igreja que param para realizar o trabalho, os iluminados se revezam para fazer a pregação e dar os passes nos doentes.

No final do dia...

— Ufa, que dia trabalhoso, hein Rodrigo! — diz Nina.

— Sim, até que não foi tão difícil fazer esse trabalho hoje.

— Verdade — diz Marques.

— É, amigo, mas não esperem moleza no Rio de Janeiro — diz o Índio.

— Por que, amigo?

— Está havendo um congresso religioso lá no Rio de Janeiro, e o número de espíritos que estarão reunidos lá passa de três mil.

— Nossa! E como vamos fazer isso sozinhos? — pergunta Sheila.

— Quando chegar lá veremos o que poderemos fazer — diz Rodrigo.

— E quando vamos para lá? — pergunta Lucas.

— Na semana que vem iremos para o Rio de Janeiro — diz Rodrigo.

— Mas não teremos terminado todas as igrejas daqui, como faremos?

— Nós temos um número certo de igrejas para visitar, não somos nós os responsáveis por todas; assim, outros grupos serão os responsáveis por outras igrejas e sucessivamente.

— Entendi — diz Felipe.

— Quer dizer que nós somos responsáveis por um grupo "x" e outros, como nós, são responsáveis por um grupo "y"? É isso?

— Sim, é isso Marques — responde Rodrigo.

– Agora vamos descansar para seguirmos amanhã para o Rio de Janeiro – diz Rodrigo.

– E onde poderemos descansar?

– Marques, por acaso você está cansado? – pergunta Rodrigo.

– Não, cansado eu não estou, mesmo porque nós, espíritos, não nos cansamos. Na verdade, estou é um pouco chateado e impressionado com tudo o que tenho visto.

– É assim com todos nós, o que nos cansa é lidar com tantas coisas tristes num só dia – diz Nina.

– Verdade – diz Felipe.

– Então vamos visitar uma casa espírita em que fui mentor durante muitos anos aqui em São Bernardo do Campo? – propõe Rodrigo. – Lá, poderemos encontrar alguns amigos e nos reestruturarmos para o que ainda teremos pela frente.

– Ótima ideia, Rodrigo – diz Nina.

– Então vamos.

– Não vamos esperar pelo Índio? – pergunta Ernani.

– O Índio sabe muito bem o endereço – diz Rodrigo.

– Então vamos logo, estamos esperando o que? – diz Marques, animado.

– Vamos, amigos – diz Rodrigo.

Todos se transportam para o centro espírita localizado em São Bernardo do Campo, em São Paulo.

"O pensamento escolhe. A ação realiza. O homem conduz o barco da vida com os remos do desejo, e a vida conduz o homem ao porto que ele aspira chegar. Eis porque, segundo as Leis que nos regem, 'a cada um será dado segundo suas próprias obras'."

Emmanuel

O centro espírita está cheio, as filas estão formadas. Há uma enorme fila para o passe, outra para as cirurgias espirituais e ainda outra para a sopa fraterna, servida após os tratamentos.

Rodrigo, o primeiro a chegar, é recebido por Marcondes, um dos mentores espirituais responsáveis pela obra de caridade.

– Olha só quem me dá a honra da visita, olha se não é o meu amigo Rodrigo.

– Como vai, Marcondes?

– Vou bem, amigos. Que ventos os trouxeram para cá?

– Estávamos aqui bem perto e decidimos visitar essa obra de luz.

– Obrigado, Rodrigo.

Nina e os demais chegam.

– Olá, Nina! – diz Marcondes.

– Olá, querido amigo, parabéns! Vejo que essa fraternidade espírita está indo de vento em popa.

– Sim, Nina, temos trabalhado bastante para auxiliar os necessitados.

– Boa-noite, irmã Dulce! – diz Rodrigo.

– Seja bem-vindo, querido Rodrigo, estávamos mesmo com saudades de você.

– Eu também estava saudoso desta casa.

– Trouxe seus amigos? – diz Dulce.

— Sim, estamos em missão no orbe terreno e estávamos aqui perto, daí convidei meus amigos a conhecer esta iluminada casa.

— Está assim, porque foi você quem começou os trabalhos por aqui – diz Dulce, abraçando Rodrigo.

— Obrigado, Irmã, mas onde estão os outros?

— Foram convocados para a missão do exílio, necessário à Regeneração.

— Daqui também foram selecionados os que estavam lhe auxiliando? – pergunta Nina.

— Sim, Nina, cinco dos operários que me auxiliavam aqui foram convocados para o trabalho.

— Nós também estamos nesse barco. Mas ainda estamos comprometidos com nossa casa espírita – diz Rodrigo.

— E como vocês vão fazer para tocar as duas missões? – pergunta Marcondes.

— Vamos revezar – diz Felipe.

— Como assim? – pergunta Dulce.

— Combinamos que quando tiver trabalho na casa espírita, iremos lá e realizaremos parte de nossa missão; para o restante dos trabalhos, teremos o auxílio dos amigos índios.

— Tenho pedido tanto a nosso mentor espiritual que nos forneça trabalhadores como vocês têm, mas não estamos tendo sucesso – diz Dulce.

— É, Dulce, está cada vez mas escasso esse tipo de auxílio; não existem mais índios encarnados com preparo para assumir tamanha responsabilidade – diz Rodrigo.

– É verdade – diz Lucas.

– Hoje, sobre o orbe terreno, só há espíritos em provas. E são as últimas. Sendo assim, o que sobrou é o resto daquilo que começou. Os bons já evoluíram, e assim sobraram poucos evoluídos para auxiliarem as casas espíritas.

– Concordo plenamente com você, Rodrigo. Hoje, o que há é o resto, são os últimos. E são as últimas oportunidades. Agora é chegada a hora da mudança.

– Vocês querem ajuda? – pergunta Marques.

– Ajuda de iluminados assim como vocês é sempre bem-vinda – diz Marcondes.

– Então, vamos para as câmaras de passe – diz Felipe.

– Venha, Rodrigo, venha me ajudar nas cirurgias espirituais – convida Marcondes.

– Posso?

– Claro, amigo, será uma honra tê-lo a meu lado – diz Marcondes, emocionado.

– Nina, vá com os demais para as câmaras de passe e auxilie a todos, por favor! – pede Rodrigo.

– Claro, vamos, gente! Venham, vamos ajudar – diz Nina.

– Venha, Rodrigo – diz Marcondes.

Rodrigo adentra, junto a seu amigo Marcondes, a sala onde há várias macas onde os pacientes estão deitados e cobertos com um lençol branco. Rodrigo se aproxima de um médium e começa realizar as cirurgias espirituais.

Mais de cem pacientes são operados. No final, todos se encontram na sala principal da casa espírita.

– Obrigado, Rodrigo! Obrigado a todos pela ajuda nesta, que foi uma noite de milagres – diz Dulce, emocionada.

– Nós é que agradecemos a oportunidade de auxiliar – diz Rodrigo.

Dulce abraça todos os envolvidos agradecendo um a um pela caridade disponibilizada naquela noite.

– Agora temos que seguir em nossa missão – diz Rodrigo, despedindo-se de Marcondes e Dulce.

– Obrigada, amigos – diz Dulce, emocionada.

– Não fique assim, Dulce – diz Rodrigo, secando as lágrimas da mentora amiga.

– Estava mesmo era com muitas saudades suas – diz Dulce que é imediatamente abraçada por Nina.

– Foram muitos anos que trabalhamos aqui juntos, por isso fiz questão de passar por aqui – diz Rodrigo, emocionado.

– É, amigo, foram mais de vinte e cinco anos de trabalho nesta humilde casa espírita.

– Marcondes, embora as pessoas e os espíritos possam achar que não, nós também criamos laços que eternizamos em nosso ser. Tenho uma estima muito grande por todos os operários dessa instituição. Quero lhe pedir que, quando possível, diga a todos que a *saudade é uma dor de dois mundos*.

– Pode deixar, amigo, pode deixar. Na próxima segunda-feira teremos estudo aprofundado e estarei incorporado para passar alguns ensinamentos. Daí transmito a todos as suas palavras.

– Obrigado, amigo, fiquem com Deus.

– Que Jesus continue a iluminar vocês, meus amigos, de Amor & Caridade! – diz Marcondes.

– Olha, Rodrigo, mande um abraço para o Daniel, por favor – diz Dulce.

– Pode deixar. Vamos amigos, vamos embora.

– Para onde iremos agora, Rodrigo? – pergunta Marques.

– Vamos visitar um presídio no Rio de Janeiro – diz Rodrigo.

– Então vamos – diz Felipe.

"Assim como a semente traça a forma e o destino da árvore, os teus próprios desejos é que te configuram a vida."

Emmanuel

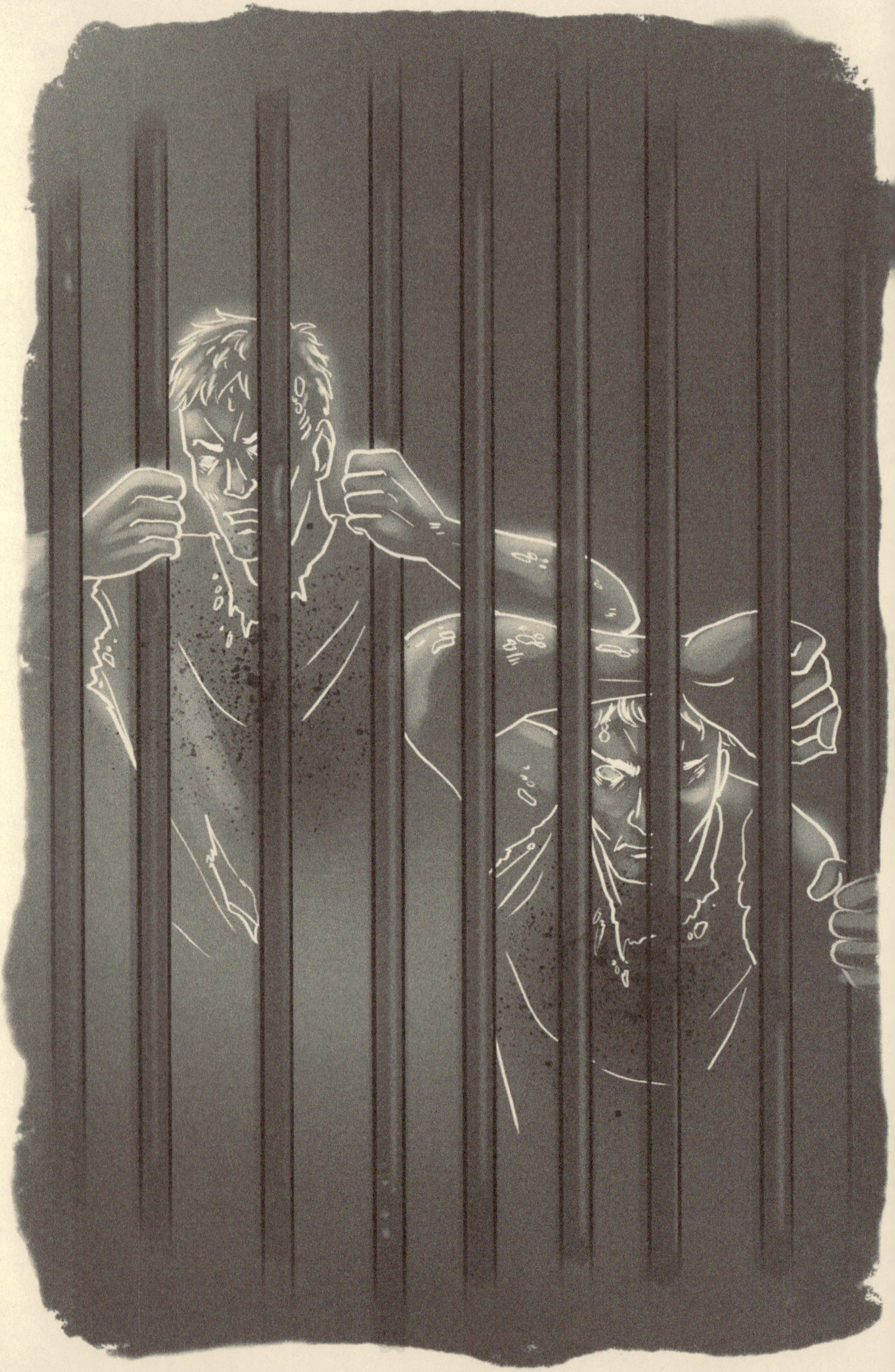

A PORTA DO INFERNO

Os sete amigos são transportados para um complexo prisional no Rio de Janeiro.

– Chegamos – diz Rodrigo.

– Que lugar horroroso! – diz Nina.

– Nossa, olha quantas almas precisam ser resgatadas! – diz Lucas.

– Tenham calma e não se aproximem, vamos esperar pelo Índio – diz Rodrigo.

– Vamos ficar olhando daqui – diz Ernani.

– Sim, observem como eles agem.

– Nossa, Rodrigo, parece que eles estão tirando o fluido vital daqueles que estão usando drogas – diz Marques.

– Não parece não, Marques, eles estão realmente sugando fluidos dos drogados.

– Mas como eles conseguem isso? – pergunta Sheila.

– É por meio da sintonia que fazem isso.

– Como assim, Rodrigo? Perdoe-me – diz Ernani.

– Essa relação entre drogado e obsessor é uma coisa antiga. É pela obsessão que esses espíritos conseguem fazer com que suas vítimas sintonizem com eles. E assim viram meros instrumentos do mal na mão desses que já não têm mais nada a perder.

– Meu Deus, será que eles nunca observaram isso? – pergunta Marques.

– Claro que tiveram diversas oportunidades para se afastarem desses sugadores de energias. Não tenham dúvida de que as oportunidades lhes foram apresentadas.

– Mas por que não aceitaram? – diz Ernani.

– Não se esqueçam do livre-arbítrio – diz Rodrigo.

– Tinha me esquecido disso – diz Felipe.

– Deus é justo e amoroso com todos. Esses que estão aí agora, no final da existência terrena tiveram inúmeras oportunidades evolutivas, mas optaram por viverem assim – diz Rodrigo.

– É realmente lamentável – diz Nina.

Marques coloca as mãos no peito como se estivesse se sentindo mal. Rodrigo corre para acudi-lo. Nina se desespera.

– O que houve, Marques? O que houve? – pergunta Rodrigo.

– Marques, o que houve? – pergunta Nina.

Pálido e perdendo as forças nas pernas, Marques começa a desabar na frente dos amigos iluminados.

– Rodrigo, o que está havendo com Marques? – insiste Sheila, que corre para socorrê-lo.

– Não sei, parece que ele está sob forte emoção – diz Rodrigo.

– Meu Deus! Olhem, tem um espírito vindo em nossa direção – diz Ernani.

– Fiquem calmos, eles nada podem fazer para nos atingir – diz Rodrigo.

– Mas ele está marcado para o exílio, olhem na testa dele... – diz Lucas.

– Sim, estou vendo, fiquem calmos – diz Rodrigo.

O espírito aproxima-se ainda mais do grupo.

– Rodrigo, faça alguma coisa! Ele está muito próximo de nós – diz Nina.

– Tenham calma! – diz Rodrigo.

– Marques, acorde; por favor amigo, acorde – diz Felipe, sustentando o corpo de Marques desfalecido em seus braços.

– Deixe-me examiná-lo – diz Ernani.

– Nina, afaste-se daí – diz Rodrigo vendo que Nina está muito próxima do espírito que vem ao encontro deles.

Subitamente o Índio aparece e segura o invasor pelas costas. Vários índios se aproximam e protegem o grupo.

Marques começa a recobrar os sentidos.

– Lúcios, Lúcios – diz Marques.

– O quê? Quem o Marques está chamando? – diz Nina.

– Não entendi direito – diz Felipe.

– Ele está chamando um tal de Lúcios – diz Ernani.

— Marques, você está bem? — pergunta Rodrigo.

— Espere, Índio, não faça nada com ele, por favor — implora Marques, recobrando a consciência.

— Espere, Índio — ordena Rodrigo.

— O que houve, Marques, o que houve? — insiste Rodrigo.

— Não leve o Lúcios, por favor, deixe-o vir até mim — diz Marques.

— Mas quem é esse Lúcios, Marques, quem é ele? — pergunta Nina.

— É meu irmão, é meu irmão que há muitos anos não vejo — diz Marques.

— Traga-o até aqui, por favor, Índio — ordena Rodrigo.

Lentamente o Índio se aproxima do grupo trazendo um espírito muito sofrido e totalmente desarmonizado com as leis naturais dos espíritos. Nina fica assustada com o estado de maltrapilho do visitante.

— Olha, Rodrigo. Por que ele está assim? — pergunta Ernani.

— Ele está totalmente destruído pelo vício, pelos pecados. Esse é o resultado daqueles que se desviaram das coisas divinas — diz Rodrigo.

— O que podemos fazer por ele? — pergunta Marques.

— Infelizmente, nada podemos fazer por ele, meu amigo — diz Rodrigo.

Nina aproxima-se, senta-se, coloca a cabeça de Lúcios em seu colo e começa a limpar seu rosto com um lenço que carrega consigo.

— Felipe, pegue um pouco de água para o Lúcios — diz Nina.

— Sim, Nina.

Marques senta-se ao lado de Nina e começa a acariciar o irmão.

Lúcios está consciente, porém muito debilitado e não consegue se comunicar com Marques.

Felipe chega com a água que lhe foi fornecida pelo amigo Índio.

– Tome e beba, Lúcios – diz Nina, segurando a cabeça do jovem rapaz.

Suas feições começam a melhorar. Nina pode observar a beleza do jovem de aproximadamente vinte anos. Marques está emocionado e não se cansa de acariciar o irmão.

Lucas faz um gesto com a cabeça, chamando Rodrigo para uma conversa particular.

Ambos se afastam do grupo, seguidos pelo amigo Índio.

– Rodrigo, eu estava mesmo desconfiado que tinha alguma armação evolutiva do Daniel nessa história de trazer o Marques conosco – diz Lucas.

– É, amigo, agora é que estou começando a acreditar no que vocês já haviam me alertado; mas o que posso fazer?

– O rapaz em questão está marcado para o exílio – diz o Índio.

– Sim, eu sei disso – diz Rodrigo.

– E quais são as ordens, amigo? – pergunta o Índio.

– Amigo, vamos esperar um pouco, deixe pelo menos o Marques se despedir dele – diz Rodrigo.

– Sim, senhor – diz o Índio.

– Vamos, parece que ele já está conseguindo falar – diz Lucas.

— Meu amado irmão, que bom poder encontrá-lo! Há centenas de anos tenho lhe procurado, e Daniel sempre me prometia que um dia eu poderia lhe encontrar, agora estou muito feliz – diz Marques, abraçando Lúcios.

— Eu é que lhe sou grato, há muitos anos vivo aqui nesse presídio, desde que fui condenado pela morte de Joana, nossa amiga. Você se lembra dela, Marques?

— Sim, lembro-me perfeitamente, mas eu não sabia que foi você quem a matou.

— Eu a matei num surto de ódio e amor, eu não conseguia dividi-la com ninguém, por isso eu a matei e enterrei seu corpo para que ninguém pudesse tocar nela.

— Mas por que você fez isso, meu querido irmão?

— Não tolerava dividi-la com ninguém, foi isso.

— Mas isso não lhe dá o direito de ceifar a vida dela – diz Nina, se aproximando.

— Eu sei, moça, por isso estou preso aqui por esses anos todos.

— Mas nós fomos irmãos há alguns milhares de anos. No tempo em que éramos da mesma família nem esse presídio existia.

— Eu sei, Marques, eu sei, mas eu reencarnei por diversas vezes, e todas as vezes que encarnei eu matei Joana, até o dia em que não me permitiram mais reencarnar. E eu mesmo resolvi me penalizar vivendo eternamente aqui no presídio.

— Meu Deus! – diz Marques.

– É, meu irmão, eu fui um cabeça-dura. Hoje eu já nem conseguia mais me mexer direito. Se não fosse sua presença, eu continuaria ali sentado embaixo daquela cela, me alimentando das drogas que os presos encarnados usam. Um pouco de cocaína aqui, uma baforada de maconha ali, assim eu passo meus dias – diz Lúcios.

– Meu irmão, você que foi um bravo soldado das fileiras romanas, terminar seus dias assim é lamentável – diz Marques.

– Eu sei, quando tentei me redimir já era tarde, agora o tempo que existe neste planeta é incompatível com o tempo que necessito para resgatar todas as minhas dívidas – diz Lúcios.

– Quem lhe falou isso? – diz Rodrigo, entrando na conversa.

– Os que vivem por aqui – diz Lúcios.

– Pois eles estão enganados – diz Rodrigo, confiante.

– Como assim? Há vários espíritos como eu que estão aqui, porque eles dizem que agora seremos expulsos deste planeta e que não há mais tempo para nos modificarmos.

– Quem são esses que dizem a vocês que não há mais jeito? – pergunta Marques.

– São os chefes daqui – diz Lúcios.

– Como assim, Rodrigo? – pergunta Ernani.

– Nesses lugares há lideranças, Ernani, é assim mesmo. Essa é a ordem natural das coisas; quando não se afina com Deus, há que se afinar com alguma coisa, e esses escolheram seguir para as trevas.

– Vi isso lá no Umbral – diz Felipe.

– Isso mesmo, Felipe, no Umbral há lideranças como aqui. Eles se organizam e dominam essas regiões onde o amor a Deus não está presente em nenhum coração – diz Rodrigo.

– Livre-arbítrio, não é isso, Rodrigo? – pergunta Sheila.

– Sim, querida Sheila, livre-arbítrio – diz Rodrigo.

– E agora, o que faremos com ele? – pergunta Felipe.

– Deixe-me lhe dizer uma coisa, Lúcios, você já tem a marca do resgate e sinceramente pouco podemos fazer por você, mas preste muita atenção: Deus é misericordioso e amoroso, e o arrependimento sincero pode lhe salvar, pois tenho certeza que é isso que importa para o criador. Quando nos arrependemos verdadeiramente, ou seja, quando nos arrependemos com sinceridade, Ele ouve nosso coração e tudo fica mais fácil para o arrependido.

– O que tenho que fazer, amigo? – pergunta Lúcios.

– Você tem que se arrepender de seus pecados e pedir a Joana que o perdoe – diz Nina.

– Mas eu não tenho mais contato com Joana, há muitos anos que estou aqui sofrendo e chamando por ela. Mas ela nunca apareceu para me salvar – diz Lúcios.

– Rodrigo, por favor, faça alguma coisa pelo meu irmão – pede Marques.

– Sinceramente, não sei o que posso fazer por ele – diz Rodrigo.

Nina se levanta, toma Rodrigo pelo braço e chama-o para se afastar do grupo.

– Com licença, senhores, preciso conversar uma coisa com Rodrigo – diz Nina.

Os dois se afastam do grupo e Nina começa a falar baixinho para que ninguém ouça.

– Rodrigo, você se lembra quando estivemos no Umbral para resgatar Soraya e encontramos Felipe?

– Sim, foram os cinco dias mais difíceis para nós – diz Rodrigo.

– Sim, os *Cinco Dias no Umbral*! Pois bem, você lembra quando não tivemos permissão para resgatar Felipe e eu fiquei arrasada?

– Sim, lembro-me muito bem de sua rebeldia.

– Lembra da semente? – diz Nina.

– Então, peça ao Índio para entregar uma semente ao Lúcios e ensine-o a plantar e cultivar essa semente lá no Umbral; quem sabe isso não funciona com o Marques?

– É uma ideia, Nina, vamos tentar – diz Rodrigo.

– Venha, vamos conversar com todos.

Nina e Rodrigo voltam ao grupo.

– Felipe, você se lembra quando deixamos com você aquela semente e lhe ensinamos a rezar? – diz Nina.

– Claro que me lembro! E tenho certeza que foram as minhas orações diárias em cima daquela semente que me fizeram ser salvo por vocês – diz Felipe.

— Você se lembra dessa história, Marques? – pergunta Rodrigo.

— Então... – diz Nina.

— ... Então o quê, Nina? – pergunta Marques.

— Vamos deixar o Índio levar seu irmão para o Umbral e entregar a ele uma semente; e o Índio então o ensina a rezar. E nós pedimos a Daniel que interceda junto à nossa Mentora para que possamos livrar seu irmão do exílio, o que acha?

— Mas que semente deixaremos com ele? – pergunta Marques.

— Essa que minha mãe, Jurema, lhe deu na minha aldeia, Marques; essa que está na sacola presa à sua cintura – diz o Índio, apontando para a sacola presa ao corpo de Marques.

— Meu Deus, meu Deus, quando Jurema me deu essa sacola, fiquei sem entender o que ela queria com isso. Agora compreendo perfeitamente o que ela queria, me dando essa sacola – diz Marques retirando a sacola da cintura e entregando ao Índio.

— Olhem, há quatro sementes dentro da sacola. Vou levar seu irmão para nossa área de segurança e lhe entregarei uma dessas sementes. Prometo que vou ensiná-lo a orar. E vamos fazer o que Nina sugeriu, vamos conversar com Daniel e pedir que ele interceda junto à nossa Mentora para que seu irmão seja salvo – diz o Índio.

— Não tenho palavras para lhes agradecer – diz Lúcios, emocionado.

— Eu é que quero abraçar vocês e agradecer o gesto de amor e carinho para com meu irmão – diz Marques, emocionado.

— Então vamos logo, vamos separar aqueles que tenho que levar comigo para o Umbral – diz o Índio, sendo cercado por sua tribo.

– Fiquem aqui com Marques e com Lúcios, que eu e o Índio iremos adentrar no presídio para resgatar as almas predestinadas a seguirem conosco – diz Rodrigo.

– Ficaremos aqui, Rodrigo – diz Nina.

Todos se levantam e ficam abraçados, assistindo ao trabalho de Rodrigo e da falange de índios que retiram um a um os espíritos marcados para o exílio.

Uma forte luz se fixa sobre os iluminados que oram em agradecimento pelo encontro entre Marques e Lúcios.

"Pensa em Deus, refugia-te em Deus, espera por Deus e confia em Deus, porquanto, ainda mesmo quando te suponhas a sós, em meio de tribulações incontáveis, Deus está conosco e com Deus venceremos."

Emmanuel

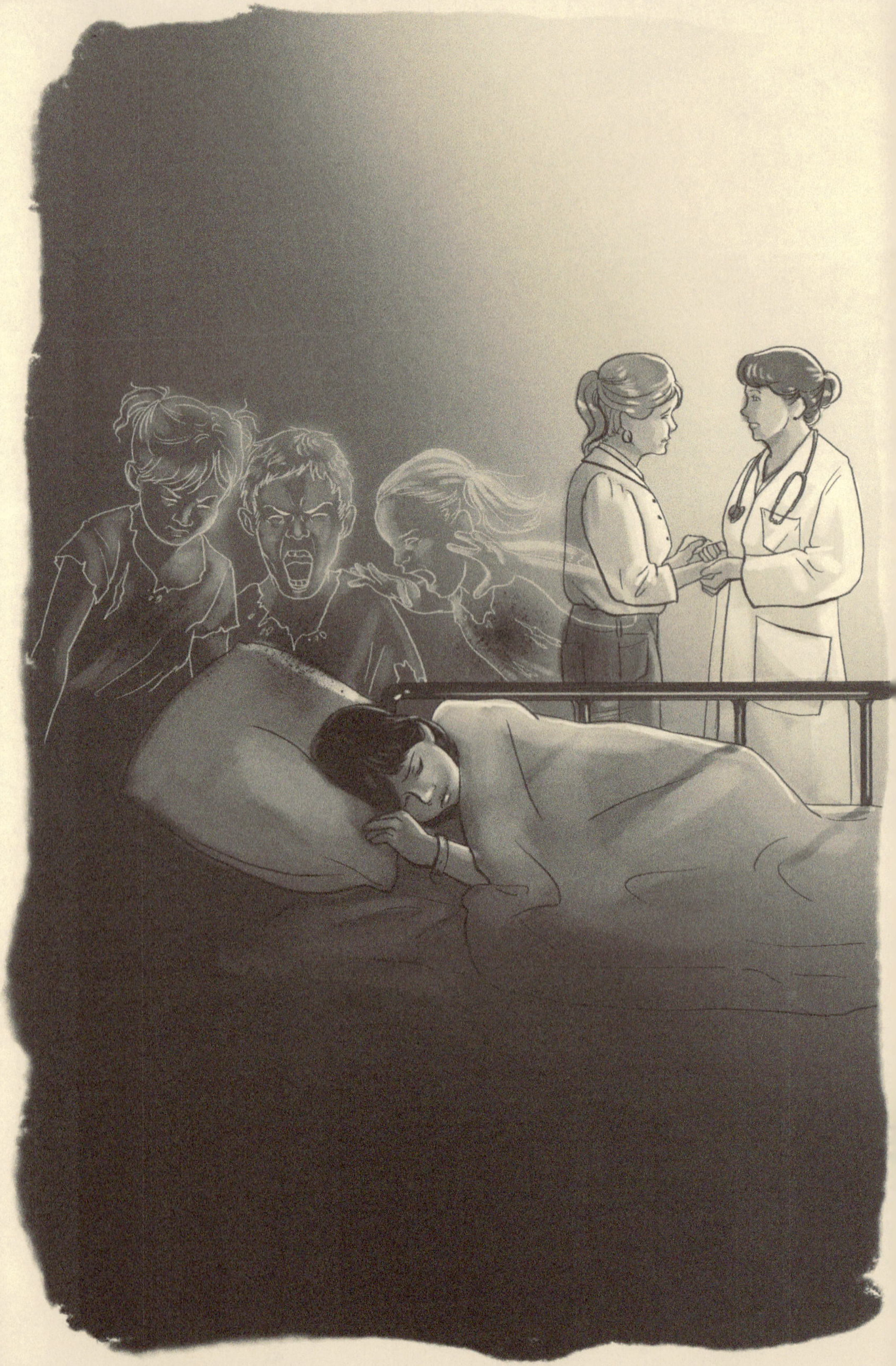

O LIMITE

Após deixarem Lúcios no Umbral com as instruções de oração diária, Rodrigo e os demais iluminados seguem para os hospitais em Minas Gerais, confiantes de que o plano traçado por Nina irá dar resultados. Marques está mais calmo, e louco para encontrar-se com Daniel e saber o que realmente poderá ser feito por Lúcios.

– Estamos chegando, façam silêncio – diz Rodrigo.

– Olhem quantos espíritos enfermos! O que é isso, Rodrigo? Será que eles não percebem que estão mortos? – diz Ernani.

– Pior é que eles sabem que estão mortos e acham que ficando internados conseguirão consertar seus corpos putrificados – diz Rodrigo.

– Nossa, olhe aquela mulher, nem tem mais carne! É um esqueleto ambulante – diz Nina.

– Chega a ser engraçado – diz Felipe, sorrindo.

– Verdade, Felipe. Olha como é ridículo esses espíritos insistirem em ter um corpo – diz Rodrigo.

– Mas por que eles fazem isso, Rodrigo? – pergunta Ernani.

– Ernani, você vai até achar engraçado a ignorância desses espíritos.

— Diga-nos, Rodrigo — insiste Nina.

— Eles sabem que morreram, porém acham que ficando internados seu corpo físico se restabelecerá. Vivem obsidiando os médicos e os enfermeiros para lhes dar remédios; e pior, eles deitam sobre os doentes encarnados nas macas para receberem as medicações que são administradas nos pacientes reais.

— Que loucura, e olhe quantos! — diz Felipe.

— Sim, são milhares, centenas — diz Lucas.

— Mas por que eles insistem em fazer isso, Rodrigo? — pergunta Sheila.

— Sheila, isso é amor às coisas materiais. Eles fazem isso porque querem desfrutar de suas conquistas materiais na Terra. E, pior ainda, muitos deles querem seus corpos de volta para poderem resolver as questões de herança mal resolvidas e que estão trazendo muitos transtornos àqueles que ficaram para administrar os bens do falecido — diz Rodrigo.

— Quanta insensatez, quanta ignorância! — diz Ernani.

— Sim, Ernani, e nós cansamos de visitar esses lugares e oferecer a esses espíritos a oportunidade evolutiva. Olha que não foi uma vez só não. Foram centenas de oportunidades desperdiçadas pela ganância e pelo amor às coisas materiais.

— É realmente lamentável, Rodrigo — diz Nina.

— Vamos começar os trabalhos? — pergunta Felipe.

— Estou só esperando o sinal verde dos índios, que já estão se posicionando para que ninguém escape.

– Vamos esperar então – diz Lucas.

– Rodrigo!

– Sim, Nina.

– Eu não acredito no que estou vendo!

– O que houve?

– Olhe para a ala das crianças!

– Sim, o que tem lá?

– Você não está vendo que há crianças marcadas para o exílio?

– Sim, estou vendo.

– Mas como assim, exilaremos crianças também?

– Nina, na verdade esses espíritos se recusaram a evoluir e preferem viver na psique infantil.

– Como assim, Rodrigo?

– Lembre-se sempre do livre-arbítrio, ele está em tudo na criação.

– Mas a criança ainda não tem o raciocínio completo... Como pode querer viver como criança para sempre?

– Existem muitas crianças que, embora apresentem-se em estado infantil, têm a consciência de um adulto e agem como tal. O pecado não é só do espírito adulto. Existem milhares de crianças assassinas e que se valem da psique infantil para realizar tais atrocidades.

– Mas Ele permite isso?

– Pense assim, Nina: se você é um espírito que gosta de matar crianças, nada mais justo do que você ser assassinado por uma criança, não acha?

– Penso que isso é possível, sim! – diz Nina.

– Nina, causa, efeito, ação, reação, lembre-se.

– Compreendo, Rodrigo. Embora eu fique chocada, compreendo sim.

– Que bom, lembre-se da coisa mais importante que todos nós temos que saber.

– O que, Rodrigo?

– *Nossa capacidade de pensar ainda é incapaz de conhecer os mistérios de Deus.*

– Isso Daniel já nos explicou – diz Felipe.

– Lembremo-nos dos ensinamentos de Jesus, quando nos disse: "não julguem, para que vocês não sejam julgados. Pois da mesma forma que julgarem, serão julgados; e a medida que usarem, também será usada para medir vocês".

– Obrigada pela lembrança, Rodrigo – diz Nina.

– Nina, vou fazer assim: vá você e Felipe para onde estão aquelas crianças e resgate-as para nossa zona de segurança. Eu, Lucas e Ernani vamos com o Índio resgatar esses que estão espalhados pelo hospital.

– E eu, Rodrigo, o que faço? – pergunta Sheila.

– Você, Sheila, fique aqui e auxilie Marques orando para que tudo corra bem com todos nós.

– Sim, oraremos – diz Sheila, e Marques concorda com um gesto de cabeça.

Os iluminados entram no hospital e retiram os espíritos sofredores, levando-os para o Umbral.

Nina e Felipe dão um passe nas crianças, colocando-as em sono profundo e transportam-nas para o Umbral.

Naquele hospital, daquela cidade, tudo corre como esperado pelos iluminados.

"Que eu jamais me esqueça que Deus me ama infinitamente, que um pequeno grão de alegria e esperança dentro de cada um é capaz de mudar e transformar qualquer coisa, pois... A vida é construída nos sonhos e concretizada no amor."

Chico Xavier

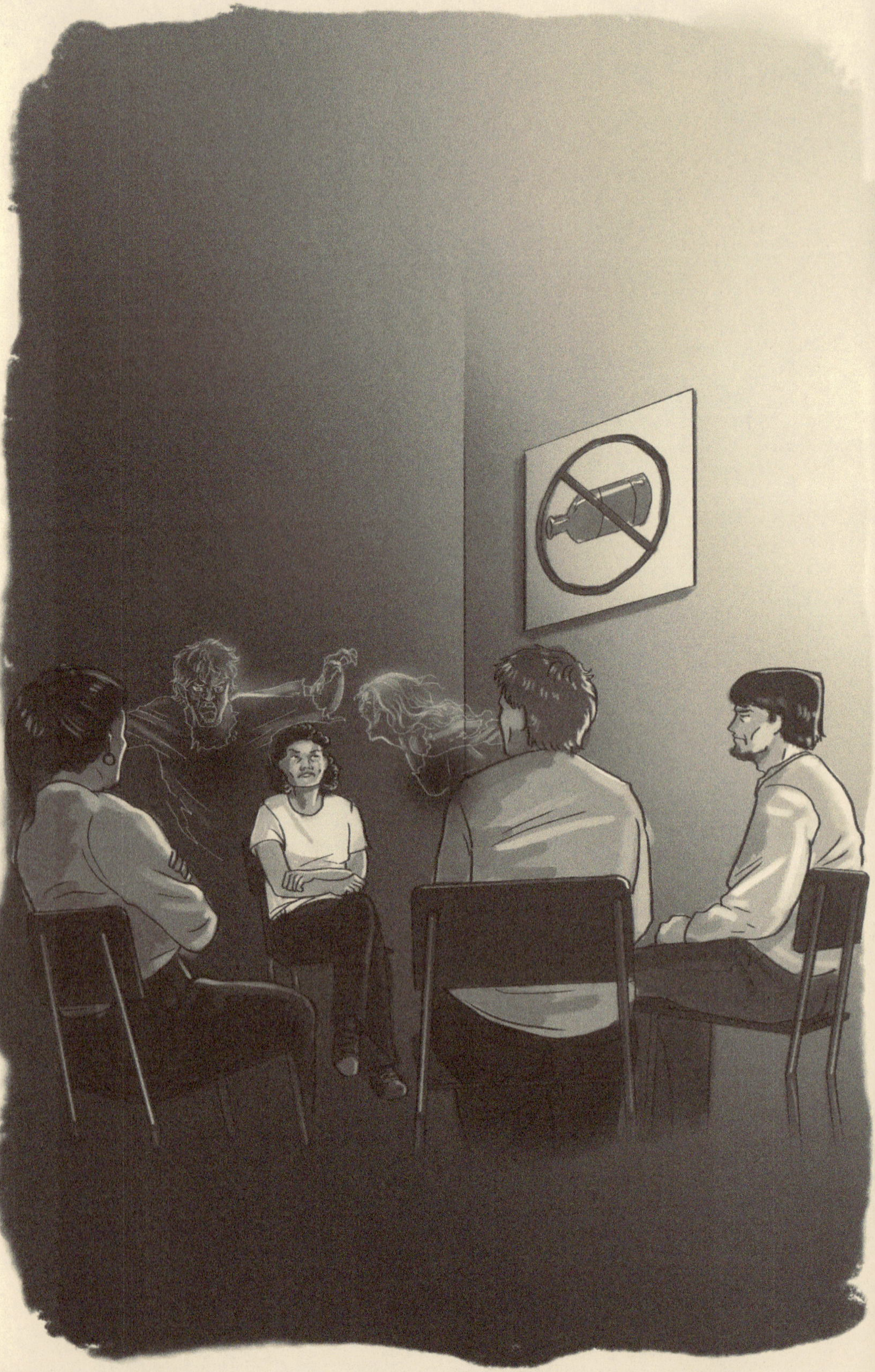

DROGADOS

Após alguns dias de trabalho nos hospitais e manicômios, Rodrigo e sua equipe estão no Estado do Ceará, visitando centros de recuperação para drogados.

Nina está muito chateada em ter que resgatar crianças que serão exiladas. Seu amor incondicional a essa psique a deixa muito triste, embora saiba que tudo se completa na criação e que tudo tem um propósito divino.

Felipe a acompanha sempre apoiando. Marques, agora mais calmo, não vê a hora de encontrar-se com Daniel para resolver a questão de seu irmão.

– Rodrigo, posso lhe perguntar uma coisa? – diz Marques.

– Sim, claro que sim, Marques.

– Quando voltaremos à colônia?

– Em breve, por quê?

– Preciso conversar com Daniel.

– O que você quer com ele?

– Preciso ajudar meu irmão. Sabe, estou muito preocupado com ele.

– Compreendo – diz Rodrigo.

– Será que Daniel vai convencer nossa Mentora a excluir meu irmão do exílio?

– Espero que sim, Marques, sinceramente espero que Daniel resolva isso para você.

– É por isso que eu gostaria de chegar logo à colônia, tenho medo de ser tarde demais para ajudar o Lúcios.

– Nunca é tarde para Deus, Marques!

– É verdade, olha eu com minha ansiedade de novo!

– Não, amigo, isso não é ansiedade; isso é consciência de que quer ajudar seu irmão.

– Espero que Daniel pense assim como você, Rodrigo.

– Ele é ainda mais sábio que eu, amigo; confiemos em Deus.

– Sim, obrigado, Rodrigo.

– De nada, amigo.

Rodrigo e sua equipe estão visitando um centro de recuperação de drogados, quando são atacados por um grupo de trinta e cinco espíritos que não querem permitir a entrada deles no maior centro de recuperação do Estado do Ceará.

– Veja, Rodrigo, há uns trinta espíritos na porta de entrada. Parece que eles não querem que nós entremos – diz Marques.

– Estou vendo, vamos esperar o Índio chegar.

– Sim, vamos ficar aqui esperando – diz Felipe.

– Eu não acredito no que estou vendo! – diz Marques.

– O que houve, Marques? – pergunta Nina.

– Não acredito!

– Gente, o que houve? – diz Sheila.

– Olhem! Olhem se não é o nosso amigo Porfírio chegando! – diz Marques, apontando para um exército de soldados que estão chegando, vindo pela direita do lugar.

– Sim, é ele mesmo! – diz Rodrigo, feliz.

– Gente, que coisa maravilhosa, Porfírio por aqui! – diz Felipe, emocionado.

– Olha, Nina! Olha se não é ele, nosso amigo! – diz Rodrigo.

Os espíritos que estavam barrando a entrada de Rodrigo saem correndo com medo dos soldados que acabam de chegar.

Rodrigo corre ao encontro do amigo, que salta do cavalo ainda em movimento e abraça o jovem rapaz de olhos azuis.

– Olha se não é o meu amigo Rodrigo, trabalhando no bem! – diz Porfírio.

– Que bom vê-lo por aqui, amigo, quanto tempo?!

– É verdade, Rodrigo. Tenho trabalhado bastante, e infelizmente tenho tido pouco tempo para me encontrar com aqueles que amo verdadeiramente.

– Como está Valéria?

– Valéria está ótima, cuidando de algumas coisas importantes de Catarina.

– Olha se não é meu amigo! – diz Nina, aproximando-se.

– Olha se não é a ruivinha mais linda de Amor & Caridade – diz Porfírio, abraçando Nina.

Felipe se aproxima e abraça o amigo.

– Como está o casal mais romântico de toda a espiritualidade? – diz Porfírio brincando com Nina e Felipe.

– Estamos trabalhando bastante – diz Felipe.

– Mas o que você está fazendo aqui, Porfírio? – pergunta Rodrigo.

– Vim lhe auxiliar por determinação de Daniel.

– Mas e o Índio? – pergunta Felipe.

– O Índio precisa cuidar de umas coisas suas. A pedido de Daniel nós revezaremos o auxílio a vocês.

– Nossa, que ótimo, Porfírio, que bom! – diz Rodrigo.

– Você esteve com Daniel? – pergunta Marques.

– Sim, acabei de sair da colônia, por quê?

– Nada, é que estou precisando falar com ele – diz Marques.

– Logo vocês vão retornar – diz Porfírio.

– Porfírio, onde você e Valéria estão? – pergunta Nina.

– Após nossa última encarnação nós estamos a serviço de Catarina – diz o soldado.

– Quero aproveitar para parabenizá-lo pela encarnação perfeita que vocês fizeram libertando a França da tirania.

– Sim, foram muitas as batalhas, mas sempre contamos com a proteção de Catarina, e Valéria como Joana D'Arc, foi perfeita.

– É, mas sua presença ao lado dela foi muito importante também – diz Rodrigo.

– Rodrigo, meu amigo, nosso objetivo é a perfeição, elogios são para os vaidosos. Eu e Valéria selamos nosso destino ao lado de Catarina, e isso é o mais importante para nós.

– Assim como todos de Amor & Caridade, não é mesmo, senhor Porfírio? – adverte Nina.

– Sim, Nina, assim como todos os espíritos que estão trabalhando em Amor & Caridade.

– Senhores, perdoem-me intrometer, mas há espíritos que estão fugindo com a nossa presença – diz Ernani.

– Obrigado, meu jovem. Vamos, homens – diz Porfírio, partindo em direção à clínica de recuperação.

Obrigado, Ernani pelo alerta, ficamos empolgados com a presença ilustre de nosso amigo.

– De onde ele é? – pergunta Ernani.

– Conheci Porfírio quando precisei entrar no castelo e pegar os restos mortais de Catarina – diz Rodrigo.

– E faz tempo isso, não?!

— Sim, Ernani, já faz algum tempo. Curioso é que eu não tinha essa informação de que ele e Valéria estavam trabalhando em nossa colônia.

— Há muitos mistérios nas coisas de Deus – diz Ernani, rindo.

Todos caem na gargalhada brincando com o amado Rodrigo.

— Vamos trabalhar, gente, deixemos as brincadeiras para depois – diz Rodrigo.

— Mas Rodrigo, você pode me explicar por que esses espíritos vivem aqui? – pergunta Lucas.

— Posso sim, venham aqui, olhem essa tela.

Rodrigo plasma uma tela onde mostra o que acontece com esses espíritos.

— Vejam que a droga causa uma dependência não só no corpo físico. O corpo espiritual, que conhecemos como perispírito, fica também dependente das alucinações. É um vício que tratamos em nossa colônia, vocês se lembram?

— Sim, o perispírito chega deformado e com marcas que tratamos com os passes de refazimento – diz Lucas.

— É isso que acontece com os dependentes químicos, além, é claro, das obsessões que eles sofrem por se afinarem com esse tipo de energia. O que acontece é que quando eles desencarnam se sentem ainda dependentes da droga.

— Sim, mas por que eles ficam nas clínicas de recuperação? – pergunta Ernani.

– Veja bem: quando esses irmãos desencarnam tomam consciência de que precisam se livrar desse maldito vício. Como são incapazes de conseguir isso sozinhos, vêm aqui nessas clínicas procurar por tratamentos que na verdade são incapazes de receber. Mas eles acreditam que isso, que esse gesto, irá tirá-los do exílio.

– Como assim, Rodrigo? – pergunta Marques.

– Assim como esses espíritos, a maioria dos que iremos exilar são espíritos que não acreditam em Deus. Eles ainda acreditam naquele deus que vai descer numa carruagem e lhes devolver a vida na Terra. São ignorantes e se negam a ouvir a verdadeira Palavra. Daí eles fingem para Deus que estão se cuidando.

– Nossa, quanta tolice! – diz Nina.

– Olhem bem na aura deles e vocês compreenderão o que estou falando – diz Rodrigo.

– É verdade. Olhem, a aura deles é negra – diz Marques.

– Reparem que todos estão marcados para o exílio – diz Ernani.

– Sim. Todos serão levados, Rodrigo? – pergunta Lucas.

– Sim, todos serão levados para o exílio. Agora deixe-me ajudar Porfírio.

– Vá, Rodrigo, ficaremos aqui em oração.

– Façam isso, por favor.

Rodrigo segue ao encontro de Porfírio e seus soldados para auxiliá-los no transporte dos exilados.

Após serem todos transportados, Rodrigo volta ao encontro dos amigos.

– Terminamos nossa tarefa aqui – diz Rodrigo.

– E para onde vamos agora? – pergunta Nina.

– Vamos para a casa espírita onde trabalhamos todas as semanas – diz Rodrigo.

– Tinha quase me esquecido disso, hoje tem reunião lá – diz Felipe.

– Sim – diz Nina. – Vamos logo – insiste.

– Vamos – diz Rodrigo.

"A vida nem sempre é como sonhamos, mas nem sempre sonhamos o que queremos viver."

Allan Kardec

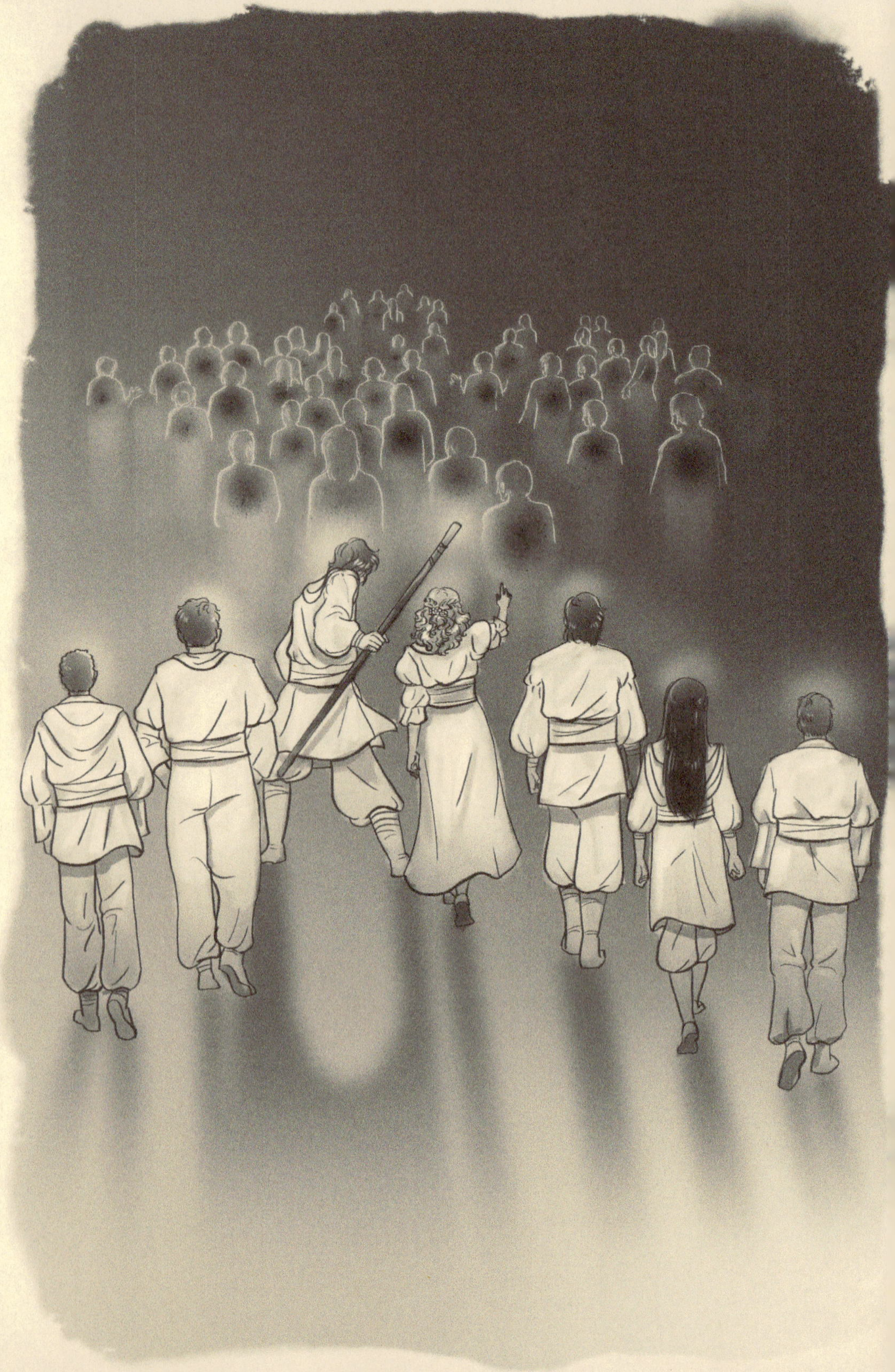

A CASA ESPÍRITA

O ambiente já está devidamente energizado pelos guardiões que realizaram a limpeza, proporcionando uma paz imensa em todos os presentes.

O presidente da instituição está tocando músicas para elevar a energia do ambiente. Todos estão cantarolando cantigas como preces.

Há uma imensa luz que desce diretamente da Colônia Amor & Caridade, pois essa é uma instituição que representa a colônia na Terra.

É dia de passe e água magnetizada que já fora devidamente energizada pelos espíritos auxiliares de Rodrigo e Nina.

São mais de 350 pessoas presentes, todas estão em pensamento e oração. Lucas fica impressionado com o que vê.

– Nossa, Rodrigo, olha como isso aqui está bonito!

– Sim, Lucas, estou muito feliz em fazer parte dessa obra.

– Nós é que temos a agradecer a Daniel e nossa Mentora por essa oportunidade – diz Nina, aproximando-se da médium que ela utiliza nesta casa.

Felipe se aproxima do seu médium e todos fazem o mesmo. Rodrigo toma posse do médium e começam os trabalhos.

Todos são atendidos. E logo após esse lindo trabalho é servida uma sopa energizada pelos iluminados a mando de Daniel.

Nina, Felipe, Rodrigo e os demais se sentam nas cadeiras vazias deixadas pelos médiuns e ficam um pouco mais na casa espírita dando os últimos retoques espirituais para que tudo se cumpra como determinado.

Alguns dos trabalhadores daquela casa estão marcados para o resgate, e isso ativa a curiosidade de Ernani.

– Rodrigo, perdoe-me lhe perguntar, mas esses tarefeiros que estão marcados para o resgate, por que eles estão trabalhando aqui?

– Ernani, esses que estão trabalhando, embora marcados para o resgate, são os que escolhi para proporcionar-lhes a última oportunidade antes do exílio.

– Nós estamos tentando salvar esses últimos – diz Nina.

– Mas vocês ainda têm esperança de recuperá-los? – pergunta Marques.

– Sim, a esperança é a última que morre – vocês se lembram desse ditado?

– Sim, Rodrigo, lembramos, mas posso observar que logo que termina o trabalho eles continuam com esses sentimentos ruins em seus corações. São falsos, mentirosos, enfim, acho que vocês estão perdendo tempo com eles – diz Lucas.

– É, Lucas, às vezes até perco a paciência com eles, mas tenho algum tempo ainda para ajustá-los e vou tentando o quanto nossa Mentora nos permitir – diz Rodrigo.

– Olhem aquele ali, por exemplo, está aqui só para se promover, olhem a vaidade saindo de seus poros! Vejam como é difícil mudar um espírito como esse – diz Lucas.

– Lucas, tenha mais paciência – diz Rodrigo.

– Olhem aquele outro, diz-se médium e operário do bem, olhem seu coração. Olhem quanta falsidade em suas palavras e suas atitudes. Vocês estão vendo?

– Sim, posso ver – diz Sheila.

– Pois bem, como consertar um espírito como esse, hein, Rodrigo? Como consertar?

– Meus queridos, lembrem-se de que tudo tem um porquê. E se eles estão tendo essa oportunidade, é porque em algum momento de suas existências eles mereceram essa última oportunidade. A nós só resta auxiliá-los – diz Rodrigo.

– Sim, Rodrigo, mas a casa espírita é um lugar de modificação moral, e não é isso que estamos vendo aqui – diz Lucas.

– Eu sei perfeitamente o que está acontecendo aqui, Lucas – diz Nina.

– Então me diga, Nina, o que é que esses marcados para o exílio estão fazendo aqui?

– Olhem aquele rapaz ali – aponta Nina para um dos tarefeiros, que está de pé tomando sua sopa.

– Sim, o que tem ele? – pergunta Lucas.

– Olhe por trás dele – diz Nina.

– Sim, estou vendo seu pai desencarnado ao lado dele – diz Lucas.

– É por esse espírito amigo que proporcionamos a seu filho a última porta. A porta da redenção – diz Nina.

– Mas ele não está nem aí para a oportunidade que vocês estão dando a ele. Vejam, ele finge acreditar em nós.

– O problema é dele e não nosso – diz Marques.

– É isso mesmo, Marques, nós estamos auxiliando o pai dele nessa oportunidade de refazimento evitando o exílio.

– Mas ele não está se modificando – diz Lucas.

– Sejamos pacientes. Se ele não se modificar, eu mesmo me encarrego de afastá-lo dos demais – diz Rodrigo.

– Ah, sim, sinceramente acho que esse grupo aí não tem jeito – diz Lucas.

– Lucas, Lucas, tenha calma! Nós temos todo o tempo do mundo para auxiliar esses espíritos.

– Você é muito paciente, Rodrigo, perdoe-me – diz Lucas.

– Meu querido Lucas, *a paciência é uma virtude que enobrece o espírito.*

– Lindas palavras, Rodrigo – diz Nina.

– Rodrigo, não me queira mal, eu até consigo pensar como você, mas você não está percebendo que isso está fazendo mal ao dirigente?

– Que lhe sirva de provas para sua evolução pessoal. Sabe que isso nos é permitido, lembre-se que eu sou o mentor espiritual do dirigente.

– Sim, eu sei disso, e é por isso mesmo que estou lhe questionando o quanto isso pode fazer mal a ele e aos demais operários que estão realizando esta tarefa tão edificante.

– Lucas, as casas espíritas espalhadas no planeta são a última oportunidade dada por Jesus para salvar algumas almas. Ele percebeu que perderia muito se mantivesse as coisas como estavam.

– Disso sabemos – diz Nina.

– Pois bem, sabedores que somos que o espiritismo é a última porta de salvação para as almas, nós que estamos diretamente envolvidos com o dia a dia dessas oficinas do bem, temos que estar preparados para essas situações. Sabemos que as casas espíritas serão alvo daqueles que não desejam que seus pares evoluam e se salvem.

– Isso é o que estamos vivenciando todos os dias nos centros espíritas – diz Nina.

– Pois bem, Nina, não podemos negar nenhuma oportunidade – diz Rodrigo.

– Rodrigo, eu quero lhe pedir desculpas – diz Lucas.

– Por que, nobre amigo?

– Porque fiz juízo do seu trabalho, e isso não é bom.

– Você e centenas de outros irmãos que frequentam esse lugar fazem juízo de mim todos os dias. *Se for preocupar-se com as opiniões alheias, jamais cumprirá aquilo que veio fazer* – diz Rodrigo, carinhosamente.

– E tem mais... – diz Rodrigo.

Nunca olhe para trás, pois atrás de ti está o que ficou, coisas boas e principalmente as coisas ruins. Aquele que vive do passado não consegue enxergar o quão belo é o futuro dos filhos de Deus.

– Nossa, só aprendizagem – diz Ernani, emocionado.

– Verdade – diz Sheila.

– Olhem aquele irmão ali!

– Onde? – diz Lucas.

– Sentado à direita do presidente – diz Sheila.

– Sim, estou vendo – diz Lucas.

– Olhem como ele ainda não se levantou da mesa de trabalho, reparem que seu coração está vibrando de felicidade por poder ser instrumento de seu mentor.

– Parabéns, Felipe, pelo que você tem feito com seu protegido – diz Rodrigo.

– Demorei anos para conseguir trazê-lo para perto de mim. Agora ele está refeito, embora, às vezes, sua fé titubeia nas relações íntimas da vida, mas estou sempre ao lado dele fortalecendo seus pensamentos, e principalmente seu coração.

– É isso, Felipe, é isso – diz Rodrigo, emocionado.

– E você, Lucas, quando é que vai se revelar para seu protegido? – pergunta Nina.

– Ele ainda é bem jovem na doutrina espírita, vou esperar mais um pouco – diz Lucas.

– O tempo é o melhor remédio para todas as dores – diz Ernani.

– É, Ernani, seu protegido já está aqui dentro, só lhe falta mais compromisso – diz Nina.

– Com o tempo ele vai entender que nossa relação não está condicionada a esta encarnação. E então ele vai ver que fora da caridade não há salvação.

– Verdade, Ernani – diz Marques.

– Bom, gente, o papo está ótimo, mas poderíamos ir até a colônia? – pergunta Marques.

– Por que quer ir à colônia agora, Marques? – pergunta Rodrigo.

– Perdoem-me, não é que eu esteja ansioso. Mas é que estou preocupado com meu irmão e gostaria de conversar com Daniel para saber da possibilidade de salvá-lo.

– Nina, vamos até a colônia? – pergunta Rodrigo.

– Vamos, Rodrigo, estou com saudades das minhas crianças.

– Então queridos irmãos, voltemos à Amor & Caridade – diz Rodrigo.

"Os homens semeiam na terra o que colherão na vida espiritual: os frutos da sua coragem ou da sua fraqueza."

Allan Kardec

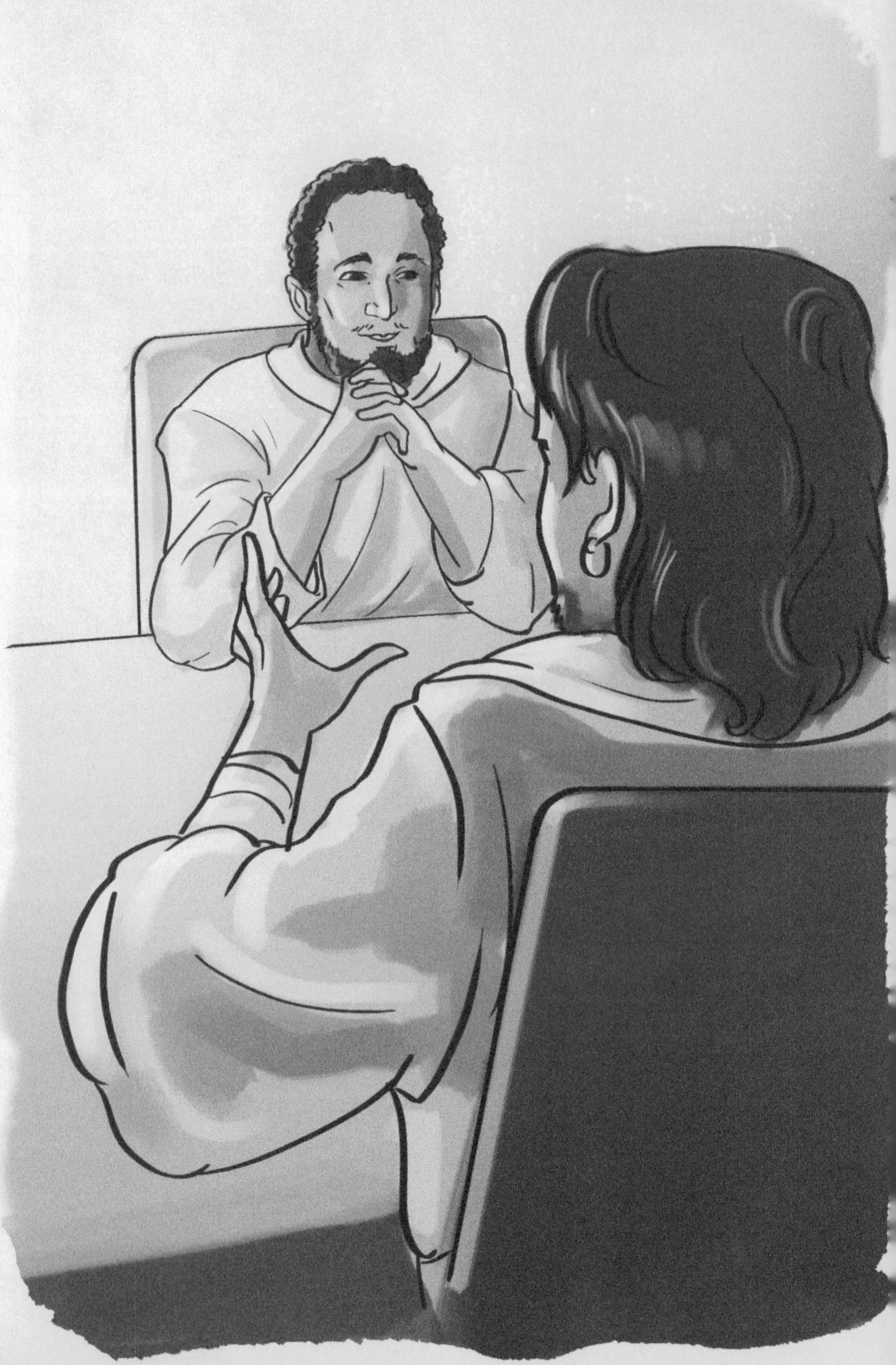

A COLHEITA

Os sete iluminados chegam à Colônia Amor & Caridade.

— Marques, espere aqui, que vou conversar com Daniel sobre seu irmão — diz Rodrigo, chegando à porta do gabinete de Daniel.

— Estarei esperando — diz Marques, sentando-se em uma confortável poltrona colocada na antessala.

— Posso entrar, Daniel?

— Entre, Rodrigo — diz Daniel não disfarçando a alegria de rever o amigo.

— Sente-se, como está a tarefa?

— Estamos realizando aquilo que combinamos — diz Rodrigo.

— Você já esteve em alguns lugares, eu pude verificar.

— Sim, já começamos nosso trabalho; você gostou da área que criamos no Umbral?

— Sim, ficou perfeita. Os amigos índios estão lhe ajudando?

— Sim, sem eles, acho que eu não conseguiria realizar a missão.

— É verdade, sem esses amigos tudo ficaria muito complicado para todos nós.

– Bom, Daniel, viemos até a colônia primeiramente para Nina matar a saudade das crianças; e eu gostaria de conversar com você sobre o Lúcios, irmão de Marques, que encontramos preso energeticamente em uma cela num presídio no Rio de Janeiro.

– Eu vi tudo pela minha tela plasmada – diz Daniel.

– Pois é, amigo, Marques está informado com o exílio do irmão.

– Como ele tem reagido à ansiedade? – pergunta Daniel.

– Ele nos tem surpreendido com a paciência e aceitação das coisas lá de baixo.

– Tem sido proveitosa sua estada a seu lado e dos demais?

– Sim, Daniel, ele tem se comportado como um excelente aprendiz.

– Que bom, Rodrigo! Vamos fazer assim: vou conversar com nossa Mentora e saber das possibilidades de evitarmos o exílio de Lúcios.

– Está bem, Daniel. Mas o que digo a Marques?

– Diga-lhe isso, que vou conversar com nossa Mentora.

– Está bem, vou falar com ele.

– Mas antes, observe como ele se comporta nesse momento – diz Daniel.

– Já entendi, pode deixar. Obrigado, Daniel – diz Rodrigo se levantando da cadeira.

– Obrigado digo eu. Ah, Rodrigo! Parabéns pelo belo trabalho que vocês vêm fazendo.

– Obrigado, Daniel.

– Agora vou conversar com Marques.

– Vocês deixaram uma semente com o Lúcios? – pergunta Daniel.

– Sim, deixamos, por sugestão de Nina.

– Isso é bom – diz Daniel, sorrindo.

– Agora vou falar com Marques.

– Vá – diz Daniel.

Rodrigo deixa o gabinete e vê que Marques não está mais na antessala aguardando.

– Onde se meteu esse Marques? – indaga Rodrigo.

Após procurá-lo em todas as salas, inclusive na sala dele mesmo, Rodrigo resolve sair para a parte externa da colônia à procura de Marques. Após caminhar algumas quadras, Rodrigo se encontra com Felipe.

– Felipe, foi bom encontrá-lo. Por acaso você sabe onde está o Marques?

– Sim, eu o vi nos jardins, lá onde cheguei do Umbral, você se lembra?

– Sim, sei onde é – diz Rodrigo.

– Ele está sentado lá – diz Felipe.

– Obrigado, amigo – diz Rodrigo, caminhando em direção aos jardins.

– Até logo, Rodrigo – despede-se Felipe.

Após caminhar alguns metros, Rodrigo finalmente encontra Marques que está sentado próximo a lindas flores amarelas.

– Oi, Marques!

— Oi, Rodrigo!

— O que você está fazendo aqui?

— Vim para cá refletir e orar pelo meu irmão.

— Você sabe que foi neste local que o Felipe chegou, vindo do Umbral?

— Sim, eu sei.

— E você nem quer saber o que conversei com Daniel?

— Sabe, meu querido amigo Rodrigo, tenho que trabalhar minha ansiedade. Ficar ansioso ou nervoso não irá mudar os acontecimentos. Sei que a vontade do criador será cumprida. Nós fizemos o que tínhamos que ser feito. Eu amo profundamente meu irmão, mas é justo que ele sofra as consequências de suas atitudes. Com certeza, teve diversas oportunidades de se modificar e resgatar ou até mesmo desfazer tudo de ruim que ele fez. Meu amor por ele vai continuar. Decidi que vou vir aqui todos os dias no mesmo horário em que ele vai estar orando e me conectar em orações a ele, creio que assim poderei ajudá-lo a se salvar. Mas que seja feita a vontade do Pai.

— Lindas palavras, Marques – diz Rodrigo.

— Decidi que preciso mudar, e só eu posso me ajudar nessa hora, vocês foram pacientes comigo e durante tantos anos suportaram meus deslizes.

— Que isso, amigo! – diz Rodrigo, abraçando Marques.

— Rodrigo, sei que sou o responsável pelo meu bem-estar espiritual, tudo o que foi criado por Deus foi para a minha felicidade, e agora decidi ser feliz.

— Marques, vejo que nossa viagem só lhe fez bem – diz Rodrigo.

— Às vezes as coisas acontecem em nossa vida e não entendemos porquê. Agora sei que Ele me ama e que tudo o que passei e que ainda vou passar é para o meu bem.

— É isso, Marques, é assim que se fala – diz Nina, se aproximando.

— Obrigado, Nina, agora posso compreender todo esse carinho que você tem por todos nós aqui. Agora compreendo porque você aceita as críticas e se recolhe em pensamentos positivos para seus ofensores. Agora compreendo o que preciso para alcançar a luminosidade plena.

— E o que é que você precisa, Marques? – pergunta Nina.

— Preciso entender que a eternidade é pouco para compreendermos nesse momento as coisas que Ele criou para nossa felicidade plena.

— Pois vou lhe ensinar uma coisa, querido amigo!

— Diga, Rodrigo.

— Embora você não possa voltar ao dia de ontem e modificá-lo, pode hoje construir um amanhã de muita luz.

— Obrigado, Rodrigo – diz Marques, emocionado.

Nina se levanta e pega a mão direita de Marques, enquanto Rodrigo segura a esquerda, assim eles fazem um círculo, quando Nina pede a palavra.

— Posso lhes pedir uma coisa? – diz Nina.

— Claro, Nina, dizem Rodrigo e Marques.

— Durante muito tempo eu vinha aqui todos os dias para orar à nossa

Mentora pelo resgate de Felipe, agora proponho que todos os dias neste mesmo horário nós oremos aqui pelo nosso querido irmão Lúcios.

Marques não consegue conter as lágrimas enquanto Nina profere uma linda prece de amor.

Rodrigo fecha os olhos e participa da prece, emanando energias que atingem diretamente o peito de Lúcios no Umbral.

~ FIM ~

"O desejo é uma árvore com folhas; a esperança, uma árvore com flores; o prazer, uma árvore com frutos."

Guilherme Maciem

Esta obra foi composta na fonte Times New Roman corpo 12.
Rio de Janeiro, Brasil, verão de 2016.